P9-DXT-503

DU MÊME AUTEUR

Aux Éditions Gallimard

OUREGANO, *roman*. Repris en « Folio », n° 1623.

PROPRIÉTÉ PRIVÉE, *roman*. Repris en « Folio », n° 2115.

BALTA, *roman*. Repris en « Folio », n° 1783.

UN MONDE À L'USAGE DES DEMOISELLES, *essai*.

WHITE SPIRIT, *roman*. Repris en « Folio », n° 2364.

LE GRAND GHÂPAL, *roman*. Repris en « Folio », n° 2520.

LA FILLE DU GOBERNATOR, *roman*. Repris en « Folio », n° 2864.

CONFIDENCE POUR CONFIDENCE

PAULE CONSTANT

CONFIDENCE POUR CONFIDENCE

roman

nrf

GALLIMARD

Pour Gustav

Il y a en moi une jeune fille qui refuse de mourir.

Tove Ditlevsen

Le printemps est splendide au Kansas, le petit matin y est lumineux, scintillant et glacé. Le ciel mauve dégorge de nuées roses que le vent charge de bigarrures dorées, de poussières vertes qui bleuissent en retombant, de pollens éclatants que la lumière disperse et tout cela est d'un bonheur qui retrouve l'enfance et donne le cœur léger. C'est comme le désert dans l'embrasement de l'aube, se disait Aurore, derrière la fenêtre close de sa chambre, comme la savane qui fume après la pluie : tout étincelle et brille, tout brûle et se consume. C'est l'Afrique se disait Aurore, et on est en Amérique ! L'allégresse la faisait frissonner.

Le cœur de l'Amérique battait derrière la maison en bois, au milieu d'un carré de gazon, dans un arbre dont elle ne retrouvait pas le nom et qui ployait sous un amoncellement de fleurs roses que la course d'un énorme écureuil faisait frémir. Le ciel intense fut traversé par une grande aile pourpre et un oiseau d'un rouge cardinal se percha au sommet de l'arbre. La joie explosa dans le cœur d'Aurore avec une netteté, une précision, une totalité qu'elle avait déjà ressenties, il y a très longtemps, quand elle était une petite fille. L'Amérique, l'Amérique, répétait-elle comme une incantation qui disait son espoir d'une vie neuve et elle regardait l'arbre dont le nom ne lui revenait toujours pas, l'écureuil qui courait sur les branches et le grand oiseau qui balançait sa longue queue rouge dans le vent.

Il lui était impossible d'ouvrir la fenêtre. Elle était derrière un double vitrage, condamnée par un système électronique qui commandait aussi la climatisation, la cafetière, la machine à laver et l'ordinateur de Gloria, la propriétaire de la maison. Aurore pensa qu'elle pourrait sortir en bas, par la porte de la cuisine, un simple panneau de bois sous un grillage antimoustique. Mais le cerveau informatique bloquait aussi la porte. Par la fenêtre de la cuisine, on apercevait l'autre morceau de la pelouse, celui de la façade. De l'autre côté de la route, c'était en miroir la même maison qui faisait office de chapelle avec — le nom lui était revenu — le même arbre de Judée gonflé de toutes les fleurs hypertrophiées qui l'écrasaient. Un écureuil sautillait sur le gazon et l'oiseau cardinal vint se percher au faîte de l'arbre, déclenchant une houle de fleurs ivres. Un arbre de Judée par maison et un oiseau cardinal saoul de sucs, de parfums, de miels, ne sachant plus s'il est du ciel ou de la terre, qui pique et s'enfonce dans les nuages, roses et gonflés comme les arbres des jardins. Aurore retourna dans sa chambre.

Où qu'elle allât, elle avait droit à la chambre d'enfant, jamais la chambre d'amis ni le canapé du salon, non : la chambre d'enfant ! Destinée, dès qu'elle était reçue quelque part, à ces lits étroits, à ces lointaines odeurs vivantes qui laissent sur le matelas leur fumet obsédant. Le lit de Chrystal, la fille de Gloria, avait une odeur désagréable et la chambre était laide avec un aspect chaotique et précaire comme si elle avait abrité une succession d'ennemis qui avaient voulu, chacun à son tour, repousser l'occupant précédent. Sur le papier aux minuscules fleurettes on avait d'abord épinglé les personnages de Walt Disney ; puis il y avait eu la période des chevaux : doubles pages de magazines scotchées autour du lit ; enfin plus récemment des posters en noir et blanc de James Dean et de Marilyn grandeur nature.

James Dean boudait au-dessus du bureau de bois blanc constellé d'autocollants. So CUTE ! L'expression englobait quantité de choses suaves ou neutralisées par une sensiblerie débutante, elle s'appliquait aux bébés, aux animaux, aux fanfreluches en nylon qui pendouillaient devant la fenêtre et à James Dean camé à mort. Accolée à la moue de James Dean, SO CUTE indiquait que Chrystal s'intéressait déjà aux hommes, un signe de puberté sentimentale. Marilyn retenant sa jupe au-dessus de la bouche d'aération définissait, elle, un idéal de femme.

Pendant son adolescence, Aurore, aussi, s'était intéressée à l'actrice culte de l'époque. Des camarades de classe lui avaient apporté en pension un numéro de *Paris-Match.* Sur la couverture, il y avait la photo de Lola Dhol. C'est toi ? lui avaient demandé les filles. Allez, avoue, c'est toi ! Et d'un seul coup, sans signe préalable, sans qu'elle l'ait jamais soupçonné dans un sourire ou dans un regard, on lui avait appris qu'elle était très jolie. Dis-le que c'est toi... un peu arrangée ! Un peu arrangée, voilà, dans ce style Mademoiselle de Lempereur, le couturier des jeunes filles, décolleté carré, organdi blanc, sourire perlé.

Dans ce milieu, il n'était pas convenable de faire du cinéma. On tolérait les danseuses parce qu'elles travaillaient très dur et qu'elles avaient UNE DISCIPLINE DE FER, et les comédiennes classiques quand elles disaient des textes longs et difficiles, mais les actrices de cinéma et les mannequins qui ne faisaient que se montrer, les pauvres gourdes, étaient si méprisées qu'elles devaient changer de nom, prendre un pseudonyme.

Comme les écrivains, se disait Aurore, comme moi. Quand elle avait publié son premier roman, tante Mimi n'avait pas voulu qu'elle gardât le nom de ses parents. Aurore avait demandé aux uns et aux autres, de parfaits étrangers pourtant, de lui trouver un nom. Un écrivain considérable lui avait offert celui de sa maison de campagne. Elle avait décliné la proposition qui impliquait une protection active.

Du coup elle changea tout, nom, prénom, origines. Elle choisit dans la colonne des convois funèbres du jour celui d'une Aurore Amer de quatre-vingt-huit ans, une miséreuse destinée à la fosse commune. Elle avait eu du mal à se faire à ce nom et surtout à ce prénom, hésitant à se reconnaître quand on l'appelait, indifférente à les voir écrits, les trouvant faux comme ces patronymes que les romanciers attribuent sans discernement à leurs personnages. Elle s'était mal distribuée, repoussée dans l'inexistence par un nom et un prénom qui n'étaient pas les siens.

Ses camarades tenaient à croire qu'elle était Lola Dhol, que le patronyme réel de Lola — elle fut une des premières actrices à garder son nom — était un pseudonyme destiné à protéger la vie cachée d'Aurore qui n'était pas encore Aurore mais seulement, comme elles la surnommaient, Juju. Leur éducation souffrait d'un tel manque de romanesque que toute la pension se passionna pour cette histoire. Les externes l'alimentaient à grand renfort de revues de cinéma. Il est presque sûr que maintenant vieillissantes, les anciennes préféraient dire à leur progéniture qu'elles avaient été en classe avec Lola Dhol, actrice splendide et scandaleuse, plutôt qu'avec Aurore Amer, écrivain qu'elles ne lisaient qu'avec suspicion.

Aurore jouait le jeu avec une sincérité qui lui apportait une véritable excitation. Frôlant le risque d'être découverte, elle alla jusqu'à se donner en représentation à l'oral du bac, incitée par le public de pensionnaires qui devait en être témoin. Lorsque l'examinateur, un jeune homme aux cheveux très courts assidu des *Cahiers du cinéma*, lui demanda : Excusez-moi mais... si elle n'était pas en réalité Lola Dhol, elle le regarda droit dans les yeux et lui fit ce sourire que tout le monde imitait maintenant en le soulignant de rose nacré. À la réflexion, il la trouva bien plus jeune que sur les photos, mais on le sait le maquillage vieillit et puis pour une Norvégienne elle n'avait presque pas d'accent. Il la préférait un peu plus blonde, mais les cheveux c'est comme le maquillage. Il sortit amoureux et surexcité : Parce que Lola Dhol, vous savez, quand vous l'avez devant vous en jupe plissée, elle a une fraîcheur de pensionnaire !

Quand tante Mimi lui demanda ce qu'elle voulait faire dans la vie, Aurore n'osa pas répondre qu'elle avait envie d'être actrice de cinéma. De cinq ou six ans son aînée, Lola Dhol lui traçait plus ou moins le chemin à venir et incarnait un modèle permanent. Sa renommée ne faisant que croître, tout le monde y faisait référence, y compris tante Mimi qui se félicitait que la ressemblance — elle l'avait elle aussi admise — ne fût que physique et que sa petite-nièce ne lui infligeât pas la honte d'une célébrité scandaleuse. Lola s'était mise en ménage avec un chanteur de variétés qui triomphait sur les écrans noir et blanc de la télévision. Avec sa trompette bouchée et sa veste de serveur, il chaloupait des mambos pendant que l'autre folle, une vraie DÉGLINGUÉE, se tapait sur la corniche de l'Esterel un accident d'auto. Elle conduisait une bouteille de whisky à la main !

Aurore restait prudemment dans l'ombre de Lola, sans vraiment accentuer la ressemblance, se contentant de l'évoquer plutôt que de l'exposer. Elle savait qu'elle n'était pas Lola, mais Lola était un pseudonyme qu'elle habitait si bien qu'elle ne put jamais se faire à celui d'Aurore Amer. Sans la notoriété omniprésente de l'actrice, elle aurait pu signer ses premiers textes : Lola Dhol. Lola Dhol avait plus vécu en elle et avec elle qu'elle-même, comme si elle l'avait inventée et que Lola Dhol eût été le premier de tous ses personnages.

La jupe blanche de Marilyn recouvrait toute la largeur de la porte de la chambre. Aurore ne l'avait jamais trouvée séduisante et à l'époque de sa célébrité, elle se rappelait l'avoir considérée comme une femme mûrissante et démodée, bien moins belle que Jean Seberg, Anna Karina et toutes les jeunes actrices de sa génération. Avec sa taille étranglée, son ventre rond, ses genoux empâtés et sa poitrine trop lourde, elle était mille fois moins attirante que Lola Dhol, les seins nus sous le petit pull marine qu'elle avait fait porter à la France entière.

Et pourtant Chrystal préférait une Marilyn qui aurait eu l'âge de sa grand-mère à une Lola dont les jeunes filles venaient de retrouver le style et la coiffure. Chrystal connaissait Lola Dhol. Chaque année cette vieille POCHARDE se donnait en spectacle au colloque féministe de Middleway et la mort avait figé Marilyn dans la fragilité d'une éternelle jeunesse.

D'abord elle n'était rien. Ensuite les douleurs éveillaient son corps. Mal au cou, fourmillement dans les jambes, ventre gonflé. Et puis la nausée la saisissait de l'estomac à la bouche. Si elle ouvrait les yeux le vertige la prenait aux cheveux et la secouait jusqu'à ce qu'elle crie. Elle sentait les bras fermes de la garde qui la plaquaient sur le matelas, elle entendait les gens qui parlaient d'elle à la troisième personne. Selon l'endroit, elle était la dame, l'alcoolique, le delirium ou un numéro comme à la morgue. Elle n'entendait plus jamais son nom. Et Dieu ! qu'ils avaient aimé le prononcer les médecins de la haute qui lui donnaient comme à une sociétaire du Français du Mademoiselle Dhol. Ceux qu'on appelle la nuit de toute urgence, fascinés que leur métier fût à la hauteur de sa légende, inscrivaient en haut de la feuille d'ordonnance, sans une hésitation, Lola Dhol. Madame Dhol, disait l'infirmière en lui ouvrant la porte de la chambre où elle allait faire sa cure. Lola, Lola, répétait la fille de salle, qui ne savait plus quoi faire parce que c'était trop dur et que Lola n'en pouvait plus, en lui caressant les cheveux pour la calmer.

Le maître d'énergie qui l'accompagnait sur ses derniers films lui avait appris à se désintoxiquer par le cri. D'abord elle gémissait pour aller chercher dans toutes les fibres de son corps les souffrances calcifiées, qui donnent le cancer si on les oublie. Puis les ayant rassemblées dans le plexus solaire, elle devait pousser un énorme cri pour les expulser d'un coup. Elle était vidée, sans force, prête à tourner.

Au temps où elle couchait encore, elle s'était réveillée près d'un amant de fortune, et après une série de halètements elle avait poussé son cri terrible. Affolé, il avait cru qu'elle était en train de mourir. J'ai HONTE, lui avait-elle expliqué en reprenant son souffle, honte que ce soit toi. Il s'était levé d'un bond et il l'avait quittée. Et pendant qu'il attendait l'ascenseur en pressant comme un dingue sur le bouton d'appel, elle continuait de hurler la bouche ouverte. Malgré les portes et les cloisons, le cri était si perçant qu'il avait préféré descendre les étages en courant. Dans la rue, le trafic gigantesque et le charroi énorme de New York, les sirènes des voitures de police et les ambulances étaient l'écho du cri qui l'avait fait fuir.

Elle s'était mise à crier à tout propos, pour une bouteille mal fermée qui lui avait glissé des doigts, devant la grille baissée d'un magasin de vins, parce qu'une vendeuse ne trouvait pas sa taille de soutien-gorge dans la couleur qu'elle désirait, parce que le coiffeur lui avait tiré les cheveux. Elle criait pour rien, pour s'entendre, la nuit, comme on ouvre la lumière.

Elle allait crier ici, beaucoup crier. Elle détestait Middleway, ce patelin perdu au milieu des blés, dans un décor si fuyant, d'une platitude si désolée que la première fois qu'elle y avait atterri, elle avait pris les tribunes du stade pour une montagne, un GOLGOTHA ! Entre Los Angeles et New York, Middleway représentait un no man's land de la culture qui avait suscité par provocation la contre-culture du dérisoire et du plouc. Un metteur en scène branché y avait situé l'action d'un de ses films parce que c'était « l'endroit le moins romanesque du monde ! ». Depuis, dans les séries, il y avait toujours un imbécile qui sortait de Middleway pour la plus grande hilarité des téléspectateurs. Dans des endroits désolés de l'Ohio ou du Wisconsin ils se bidonnaient au seul nom de Middleway, Kansas. Lorsqu'elle était lucide, Lola voulait que l'on crût qu'elle fréquentait Middleway parce que c'était « le lieu le moins romantique de l'univers ». Elle sentait bien qu'on la soupçonnait de faire de la figuration dans une série B.

Ne me mets pas à l'hôtel, suppliait-elle au téléphone, pas au Hilton pour dominer à perte de vue le néant de la grande plaine. Gloria l'avait rassurée, elle lui laisserait, chez elle, sa propre chambre. En ouvrant sa valise, Lola s'était mise à crier parce qu'elle était seule, pour se prouver qu'elle était radicalement seule et que tout le monde s'en foutait. Les fidèles qui se rendaient, juste en face, à la chapelle baptiste s'étaient inquiétés. Ils voulaient savoir si on torturait une femme dans la maison de la féministe.

Gloria lui avait demandé de ne plus crier chez elle parce que cela effrayait Chrystal. Lola avait mis un moment à mettre le prénom sur le visage poupin d'une petite métisse de treize ans. Chrystal avait pris prétexte des hurlements nocturnes de Lola pour déserter la maison maternelle au moment du colloque, non sans avoir averti la société des amies de sa mère qu'elle se suiciderait comme Marilyn à trente-six ans, leur faisant bien sentir qu'elles avaient toutes dépassé ce cap — comme s'il était besoin de le dire ! — et qu'elle les trouvait PITOYABLES de S'ACCROCHER ainsi.

— S'accrocher, s'accrocher, explique-toi, avait exigé Babette Cohen, l'alter ego de Gloria à Missing H. University, vingt ans de *feminine studies*, un contact exceptionnel avec les jeunes et l'intime conviction qu'il fallait faire préciser tous les non-dits.

— Vieilles et moches comme les salopes que vous êtes, avait répondu Chrystal les larmes aux yeux.

Et ces femmes qui avaient pensé intégrer la jeune fille dans leur système, lui parlant comme à une adulte, furent soulagées que Chrystal se repliât chez son Machiniste de père, au sud de la ville. On ne s'informerait de ses progrès scolaires que par politesse.

— Alors je peux crier maintenant ? avait demandé Lola.

— Non, avait rétorqué Gloria.

— À cause ?

— À cause d'Aurore.

Horror creusait un grand trou dans la tête de Lola.

— Tu sais, l'écrivain, précisa Gloria, l'écrivain que tu vas interpréter.

— La Canadienne ? demanda Lola qui restait sur ce mot d'Horror

— Non, la Française.

— Ah ! dit Lola, la fille là-bas dans l'autre chambre ? Qu'est-ce que ça peut lui faire que je crie ? Elle ne crie pas, avec ce qu'elle écrit !

— Non, elle ne crie pas.

C'est un comble, se disait Lola, il y a Horror derrière la porte et il ne faut pas que je crie ! Alors je vais vomir, menaça-t-elle.

— Vomis, répondit Gloria, je nettoierai.

Ce matin Lola appela chaque douleur, les fit remonter le long des jambes, le long des bras et quand elles furent sur l'estomac, la nausée fut trop forte, elle vomit. Et puis le cri sortit aussi de la bouche ouverte. Il réveilla le Pasteur qui pensa à la journée de Pâques, aux cris des nouveaux baptisés qui devaient expulser Satan, ses pompes et ses œuvres. Alléluia.

La levée d'écrou informatique se faisait à sept heures trente. L'écran de l'ordinateur de Gloria s'éclairait et diffusait une musique nasillarde qui débitait les premières mesures de la *Lettre à Élise* avec une tonalité aussi usée que celle qui s'aigrissait sur le répondeur téléphonique. Une inscription gigantesque lui souhaitait une bonne journée en martyrisant son prénom dans tous les sens selon le désir qu'elle avait eu de le franciser, et même à la belle époque de le féminiser en remplaçant le *i* par un *y*, bref de le rendre définitivement original. On en était donc à Gloria avec une pincée de cœurs qui envahissaient l'écran et explosaient en inscrivant SPLATCH dans des bulles.

Au même instant, au sous-sol, la machine à laver se remplissait d'eau. Il n'est pas douteux que si Gloria avait trouvé un savon qui fît des cœurs à la place de la mousse, la machine eût craché des cœurs roses et euphoriques comme les dessinent les jeunes filles qui, dans l'enthousiasme de leur première année d'université, parsèment leurs copies de ces décorations enfantines, traquant le moindre *i* pour l'empâter d'une fleur, d'un cœur ou d'un rond obèse comme le beignet qu'elles trempent dans leur café. La porte du garage se soulevait, les moustiquaires se décollaient, la machine à café se mettait en route et la climatisation emportait tout cela dans un chuintement qui était le pouls de la maison. C'est une question d'organisation, disait Gloria, mais le fer à défriser qui chauffait sur le bord de son lavabo avait, erreur de timing, fichu le feu à la maison.

Ce matin-là Gloria, qui avait dormi sur le canapé-lit de son bureau sans prendre la peine de le défaire, se réveillait fatiguée mais heureuse. Comme après chaque colloque, elle passait en revue les épisodes et incidents y afférents, et cela s'était plutôt bien passé. Une organisation rigoureuse, un budget serré, la fidélité des congressistes de plus en plus sollicitées ailleurs et dont pourtant le nombre s'était accru. Elle avait en main une carte maîtresse : Lola Dhol faisait des lectures sur les auteurs programmés.

Personne ne résistait à la voix de Lola. Gloria se rappelait l'effet que lui avait fait leur première rencontre, il y a quelques années déjà à la New York University au cours d'un cocktail au département de français. Alors qu'elle se dirigeait vers le buffet, la voix, la sublime, l'adorable voix l'avait figée sur place, comme autrefois lorsqu'elle arrivait en pleine séance au cinéma, qu'elle attendait l'ouvreuse dans un angle du couloir ou de l'escalier et qu'elle se prenait déjà à la voix chérie de son actrice préférée. La voix disait qu'il fallait manger le jambon avec des figues et non avec du melon, surtout du melon d'eau vert et sucré, et Gloria croyait entendre à la fois toute la littérature contemporaine et tout le cinéma européen. C'était TROP.

Si quelque chose, en dehors de la littérature, et peut-être encore plus que la littérature, l'avait fait se sentir française, elle avait envie de dire SE TENIR FRANÇAISE, c'était le cinéma des années soixante. Si quelqu'un pouvait représenter ce cinéma, c'était Lola Dhol la Norvégienne. Elle l'avait envoûté. Dès qu'elle ouvrait la bouche, son accent ineffaçable marquait les dialogues les plus différents comme si elle en avait été l'auteur. Lola se retourna et si la voix n'avait encore été dans sa bouche, Gloria n'en aurait pas cru ses yeux.

Elle avait un visage si violemment marqué par l'alcool qu'il était à la fois livide et violacé, comme pris dans une brûlure dont la peau morte avait sailli par plis gris. Elle en était arrivée à ce stade d'intoxication où après avoir été grosse, bouffie, elle était devenue très maigre, d'une cachexie blême. Elle avait été abandonnée par ses chirurgiens esthétiques, elle était délaissée par ses médecins. Par cette force de phénix qui l'animait, elle ressuscitait, laissant ici un rein, une vésicule, un bout d'estomac, mais si vibrante et si lucide que ceux qui osaient encore la fréquenter l'admiraient toujours en dépit de sordides histoires d'ivrogne qui circulaient sur son compte.

Lola Dhol, elle, remarqua d'abord le regard de Gloria. Elle y reconnut cette tendresse éperdue, cette émotion mouillée de larmes, ce sourire ébloui et reconnaissant qu'elle faisait naître autrefois chez les femmes qui avaient monté la garde auprès d'elle avec tant de respect qu'elle n'hésitait jamais à aller vers elles pour bousculer leur retenue et leur dire qu'elle les aimait. Ensuite elle vit cette femme sans âge, fringuée comme une boniche qui détonnait dans cet endroit. Enfin, seulement, elle remarqua que Gloria était noire. Lola avait eu sa période black power, celle du soutien aux minorités abusées. Elle reconnut dans Gloria une victime des hommes et de l'Amérique. Elle s'avança vers elle et, comme si elle la connaissait depuis toujours, l'embrassa.

Contre les apparences, dans ce cocktail new-yorkais, ce ne fut pas Lola qui sauva Gloria mais Gloria qui apporta à Lola une dernière chance de s'en sortir. Car cette femme qui semblait ce jour-là si déplacée parmi les intellectuels qui péroraient, cette petite femme que la quarantaine avait épaissie au milieu des invitées maigres et plates dans leur stricte robe noire était une femme puissante. Gloria Patter de Middleway Kansas University, doyen du département des langues étrangères, présidente de plusieurs associations francophones, finançait la manifestation de New York autour du cinéma français des années soixante. De Los Angeles à New York, tout le monde s'empressait autour de Gloria Patter. Quant au trois-quarts rouge coquelicot qui lui abîmait la silhouette, au chouchou de tulle qui attachait ses cheveux déjà gris et aux longues boucles d'oreilles en pacotille, ils lui avaient été recommandés par sa conseillère en communication.

Désormais Lola fut de toutes les manifestations féministes qu'organisait Gloria, elle fut surtout du colloque de Middleway, qui en était le clou. Elle s'était plus ou moins installée aux États-Unis, et elle allait d'université en université faire des lectures : des femmes et un peu aussi le Grand Oracle, le seul écrivain mâle que l'auditoire acceptait d'entendre parce qu'il avait appuyé leur mouvement. Elle lisait du même ton, de la même voix. Elle lisait sans comprendre comme elle en avait lancé autrefois la mode. Lire sans chercher à savoir ce que l'on lit, lire comme un exercice qui ne doit rien au texte.

Cela avait été l'idylle, jusqu'à ce que Gloria eût fait la connaissance d'Aurore qu'elle avait d'abord lue parce qu'elle était française puis adorée parce qu'elle parlait de l'Afrique. Gloria, qui avait conquis l'Amérique, rêvait d'une Afrique originelle qu'elle ne connaissait pas et où elle n'osait pas aller. L'Américaine en elle avait pris le dessus. Elle se trouvait démunie devant les immensités noires qui hantaient son imagination. Pour Aurore l'Afrique était le pays natal qui avait déterminé une fois pour toutes la palette de ses couleurs, l'éventail de ses odeurs.

Quand au cours d'un voyage et par une série d'indiscrétions, Gloria débusqua Aurore dans le studio qu'elle occupait à Paris, elle resta bouche ouverte, dans une stupéfaction qui l'empêcha de franchir le seuil de cette porte qu'elle avait forcée. À aucun moment elle n'avait songé qu'Aurore pût ne pas être noire. Aurore était blanche, c'était une de ces blondes que l'âge pâlit jusqu'à les rendre transparentes. Gloria avait créé au sein des *feminine studies* un groupe d'études et de recherches de littérature africaine. Elle invita Aurore en tant qu'« écrivaine » africaine et comme de son côté

Aurore était persuadée que l'Amérique devait être une sorte d'Afrique, leurs rêves se conjuguèrent. Les étudiants n'y trouvèrent rien à redire.

À Middleway, Gloria eut à nouveau pour Aurore un coup de cœur de jeune fille. Une Lola Dhol respectable lui était rendue, plus les livres que finalement elle mettait au-dessus du cinéma, plus l'Afrique où Aurore avait vécu. L'écrivain avait quelque chose de désincarné, de léger et de fugitif, elle était un de ces ballons que l'on tient par une ficelle, qui tirent vers le ciel et qui disparaissent si on les lâche : Celle-là, il faudra que je l'attache ! — exacte expression du lien que Gloria venait de contracter à sens unique.

Une chambre était réservée pour la romancière au Hilton, mais dans un emportement amoureux Gloria lui dit : TU vas habiter chez moi, je T'ai réservé la chambre de ma fille. Et comme elle voyait que cela n'entraînait pas un bonheur sidéral chez Aurore qui venait d'encaisser un Paris-Chicago puis un Chicago-Middleway, elle lui apprit que plusieurs communications, et des meilleures, porteraient sur ses livres. Babette Cohen elle-même se réservait l'interprétation intertextuelle de sa création. Comme Aurore se tenait toujours sur la réserve, elle lui annonça que Lola Dhol ferait la lecture de son dernier livre. Elle lui assena la magnifique nouvelle : J'en ai commencé la traduction ! Une lueur d'espoir éclaira brusquement le regard de l'écrivain. Enfin, reprit Gloria, ce n'est pas aussi simple que cela, je fais plutôt une adaptation. Il faudra qu'on en parle.

Aurore parut désorientée. Pour la reconquérir, Gloria lui dit qu'elle avait, selon son désir, pris rendez-vous avec le Conservateur du zoo et qu'elle aurait de ce côté-là aussi une bonne surprise. C'était le premier écrivain que Gloria connaissait qui doublait sa participation aux *feminine studies* d'une visite au zoo.

Et justement l'ordinateur, qui en avait terminé avec toutes ses facéties, demanda : Gros bonheur ou petit plaisir ? Gloria sélectionna gros bonheur. Par une série de manœuvres complexes qui passaient par des noms de code, sa date de naissance, les trois premières lettres du prénom de sa fille et les deux dernières de celui de son mari, elle appela la page de garde. Elle se présentait comme la couverture d'un roman qui imitait la présentation d'un célèbre éditeur new-yorkais. Gloria lut en retenant son souffle :

Gloria Patter
African Woman

La machine à laver qui avait chauffé silencieusement était passée au cycle lavage. De petites éructations rassemblaient le linge au fond de la cuve avant de le lancer dans le grand huit qui allait le secouer, le tordre, l'écraser, le distendre. Babette Cohen s'était retournée vers le mur de la cave, pompeusement baptisée BASEMENT, pour protéger un sommeil fragile qui ne venait pas à bout d'une fatigue qui lui fermait les yeux et lui cassait les membres. Elle attira vers sa joue le manteau de vison qui lui avait servi de couverture. Au doux contact, le chagrin la poignarda en plein cœur, comme tous les matins depuis que l'Aviateur l'avait quittée.

La machine à laver marqua un temps de repos et Babette resta suspendue dans un vide silencieux qui lui donnait l'impression d'une solitude d'enterrée vive. Elle se débattit, chercha ses lunettes qu'elle déposait depuis l'enfance sous le lit pour ne pas marcher dessus, les mit et repéra le morceau de jour verdâtre qui s'infiltrait par une imposte. Elle pensa que c'était DÉGUEULASSE de loger quelqu'un dans une cave, dégueulasse et méprisant, au milieu de ce tas d'affaires au rebut, de ces appareils ménagers antédiluviens, avec ces fils d'étendage qui traversaient la pièce au risque de vous cisailler le cou. Il est vrai que Gloria était petite et qu'elle avait tout disposé à sa hauteur ! La machine à laver entama son cycle d'essorage, une rotation de huit cents tours minute, sans isolation phonique : on entendait le linge en boule qui cognait contre la cuve, le grelot des boutons de nacre ou de plastique, le choc d'une boucle de métal, sans compter le fracas des pièces de monnaie que Gloria, qui était loin d'être soigneuse, avait oubliées dans les poches.

Le départ de l'Aviateur, comme un pet de lapin, après vingt-cinq ans de mariage, au moment où après tant d'anniversaires oubliés elle pensait se rattraper dans des noces d'argent fabuleuses avec tous les témoins de leur grand et indissoluble bonheur, l'avait laissée si désemparée qu'elle n'assurait depuis les huit jours fatidiques que les engagements les plus urgents. Il n'avait pas passé la porte depuis deux heures qu'elle partait elle-même pour son colloque de Middleway, ayant seulement pris la précaution de téléphoner son malheur à Gloria pour qu'elle ne la logeât pas comme d'habitude à l'hôtel : Pas de Hilton pour moi, cette année. Je ne sais pas du tout ce qui m'attend. Et Gloria qui n'avait jamais aimé l'Aviateur, surtout parce qu'il avait fait la guerre, lui exprima sa plus grande compassion : Les hommes, tous les mêmes. Elle lui avait assigné le basement : Tu vas voir, très sympa, Chrystal est en train de l'arranger pour prendre son indépendance !

Babette connaissait Gloria depuis Washington University où elles étaient entrées avec une bourse de fin d'études pour étudiantes étrangères financée par une grande marque de sauce tomate. Passé la première joie de poursuivre des études alors qu'elles n'avaient pas le premier centime, elles supportèrent assez mal l'omniprésence de la sauce tomate qui signait généreusement le moindre objet de la fondation de sa marque rouge et dégoulinante sortie d'un tube de concentré. Aux États-Unis, à cette époque, la pauvreté n'était pas pour l'intelligence un signe de valeur ajoutée, et elles n'osaient pas donner rendez-vous à leurs boys friends à l'entrée du pavillon qui portait le nom du glorieux sponsor au-dessus de sa façade de brique rouge, comme si le petit bâtiment avait été l'usine de fabrication de la sauce, et les étudiantes les ouvrières. Mais c'était à prendre ou à laisser, et Gloria comme Babette s'étaient jetées dessus avec une avidité d'affamées.

Pour Babette, Washington c'était la terre promise. Rapatriée d'Algérie durant les années soixante, elle s'était retrouvée à Bordeaux avec une famille en état de choc. La grand-mère ne savait plus où elle était, la mère ravalait ses larmes avec un petit mâchonnement permanent qui lui rongeait la lèvre inférieure. Le seul étranger qui pénétra jamais dans leur deux-pièces de la rue de Pessac, loin vers la barrière, ce fut LE Docteur. Il leur prescrivait des calmants. Des calmants pour le père, des calmants pour la mère, des calmants pour la grand-mère, des calmants pour les deux frères

— deux marques différentes —, des calmants pour la sœur qui n'avait plus ses règles, des calmants pour Babette. Pour elle, c'était du valium.

Elle avait seize ans, une myopie invalidante, un corps magnifique, une intelligence brutale, et la haine au cœur, comme un moteur de hors-bord. Un soir qu'ils étaient — sous calmants — en train de regarder *Intervilles* dans une atmosphère saturée de gauloises bleues, l'une poussant l'autre, Babette se dit qu'elle avait le choix entre deux solutions : prendre d'un seul coup tous les médicaments de la famille ou jeter sa ration de valium à la poubelle. Elle jeta son valium. La petite sœur qui avait suivi le même raisonnement intérieur prit, elle, le parti d'en finir.

Avec les montures remboursées par la Sécurité sociale qui lui donnaient l'air d'une aveugle, avec le manteau kaki qu'un frère avait oublié de rendre à l'armée, avec les chaussures que la grand-mère, couchée, ne portait plus, elle fréquenta une université qui semblait avoir été conçue, autant qu'elle put s'en rendre compte, comme un club de la haute où l'on présentait à des minets à foulard de soie des jeunes filles aux têtes de citrouilles laquées. Ils bridgeaient dans les cafés de la place de la Victoire et partaient le week-end au volant de leurs deux-chevaux ou de leurs Ami-6 élastiques se faire de bons restaurants dans de petits coins sympas. Bordeaux, c'était pour les filles la médecine ou l'anglais et de toute façon le mariage. Quand une de ces demoiselles ne remportait pas son médecin navalais après trois ou quatre assauts, elle changeait radicalement de cap et partait pour l'Angleterre faire oublier qu'elle appartenait de notoriété publique à l'aristocratie des DE LA MER. Au retour, les ambitions ayant baissé d'un cran, elle arrivait plus ou moins à décrocher une licence d'anglais ou un mari juriste.

Babette, elle, s'attaqua à l'anglais par simple haine du français. Le jour de sa majorité, elle était agrégée. Elle n'avait rien vu, rien entendu, elle n'avait jamais passé un cours, prêté un document, échangé une adresse. Un professeur lui avait dit que si seulement elle consentait à s'arranger un peu, elle ne serait pas mal ! Il lui laissa aussi entrevoir, ceci était certainement fonction de cela, qu'il la prendrait volontiers comme assistante. Ces sortes de bonshommes la dégoûtaient parce que leur frustration sexuelle ne les faisait pas renoncer pour autant à leur autorité et à leur pouvoir. Ils réglaient leur petite affaire dans le champ protégé de l'université, à la va-vite, dans leur bureau après le départ de leur secrétaire, et laissaient sur le carreau des étudiantes humiliées qu'ils récompensaient de petits emplois universitaires qui ne leur coûtaient rien. Elle n'avait que faire de l'aide conditionnelle d'un homme déplaisant dont le type était si répandu qu'elle en repérait tout de suite la nature à la calvitie luisante et aux parotides gonflées. Elle demanda une bourse, l'obtint et partit pour l'Amérique avec le seul projet de devenir Américaine.

Si une chose lui causait un déplaisir certain, c'était d'être prise quelquefois pour une Française, ce qu'elle ressentait comme une insulte. Quelle faute de langue ou de conduite avait-elle commise ? Et quand on la rassurait, expliquant qu'il s'agissait d'un compliment qui allait au charme qu'elle dégageait, à sa vivacité ou simplement à sa jolie silhouette, elle s'inventait une origine canadienne et affirmait, ce qui était vrai d'une certaine façon, qu'elle ne connaissait pas la France. Elle n'avait qu'à se rappeler le deux-pièces de la rue de Pessac où ils n'étaient plus que quatre à croupir maintenant et l'immense cimetière Saint-Jean où la place de la petite sœur était dans un rectangle au croisement de deux allées.

Elle comprenait pourquoi elle s'était toujours si mal entendue avec Gloria qui niait pourtant, avec un acharnement comparable au sien, des origines qu'elle inventait sans cesse jusqu'à en avoir, à présent qu'elles avaient passé la plus grande partie de leur vie ensemble, brouillé toutes les cartes. Gloria se disait Française, elle parlait volontiers de son ascendance africaine, une mère noire mise à mal par le gouverneur français du Congo ou de la Côte d'Ivoire, un grand-père sénégalais qui aurait eu les pieds gelés en 14. Les pieds gelés lui paraissaient le comble de la francité. Suivant les interlocuteurs, elle était née à Strasbourg, ou à Cherbourg, Babette l'entendit même revendiquer devant un Béarnais une origine paloise, ville où sa grand-mère qui était la femme du consul d'Angleterre aurait soigné sa tuberculose ! Gloria était toujours de l'endroit d'où venait son interlocuteur, passant chaque fois un examen des origines qu'elle remportait haut la main. Elle connaissait le plan des villes, le nom des principaux commerçants, les spécialités locales. Quand on en arrivait aux relations communes, elle se servait de l'alibi de maladies contagieuses qui l'avaient retirée du reste du monde pour soigner des parents condamnés à l'isolement. Depuis qu'elle avait rencontré Aurore, Gloria ne se disait plus que citoyenne de Port-Banane, ville imaginaire qu'elle connaissait mieux que n'importe quel personnage du roman d'Aurore.

C'est son droit se disait Babette, c'est son droit d'être d'où elle veut, d'avoir l'âge qu'elle veut, le nom ou le prénom qu'elle veut. On n'entrait pas à la Tomato comme ça, il fallait vraiment n'être rien et partant de là être très forte pour que la caritative institution ouvrît ses portes et fît de l'étrangère que vous étiez un parfait produit américain. Babette se rappelait la volonté farouche de Gloria de lire français, de voir du cinéma français. Elle était à l'époque la seule étudiante du campus, où l'on ne se déplaçait qu'en voiture, à rouler à solex. Enveloppée de la fumée bleutée d'un moteur qui renâclait faute du mélange adéquat, elle circulait dans les allées interdites. Elle ne posait pas ses pieds sur les pédales mais les croisait sur le cadre comme elle l'avait vu faire à Lola Dhol dans un film qui était passé à la cinémathèque. Le solex appartenait d'ailleurs au machiniste du lieu, un marginal chevelu originaire du Kansas qui contestait la guerre au Vietnam et consacrait les heures qu'il n'occupait pas à rafistoler les films à régler le moteur de son engin pourtant rudimentaire. Sorti d'un film en noir et blanc qui s'opposait au grand cinémascope de l'époque, le solex représentait pour eux le symbole culturel typiquement antiaméricain sur lequel était fondé leur couple. Mais tout cela n'émeuvait pas Babette outre mesure, elle soupçonnait Gloria de se faire passer pour Française afin d'excuser un anglais DÉGUEULASSE, alors qu'elle ne parlait, elle s'en rendait bien compte, qu'un français approximatif.

L'inconvénient de travailler à la maison, c'était que les occupations matérielles et surtout ménagères qui lui étaient épargnées dans son bureau à l'université prenaient ici le pas sur toute démarche conceptuelle, personnelle et gratuite. Devant l'écran de son ordinateur, Gloria pensait qu'elle aurait le temps de manipuler un peu son roman avant le réveil des autres mais elle entendait le roulement de la machine à laver qui indiquait le début de l'essorage. Prise par son travail, elle aurait pu, et cela lui était arrivé bien des fois, oublier le linge dans la cuve et le laisser se racornir, mais elle butait sur le texte. Il se présentait en paragraphes d'inégales longueurs qu'elle essayait d'associer thématiquement par une série de couper-coller. La page était parsemée de points d'interrogation, d'exclamation et de suspension — le code de traduction de son secrétaire pour indiquer les passages complexes, les mots à rechercher, les phrases sautées — et cela donnait l'impression qu'elle avait inopinément coincé une touche du clavier. Elle se leva pour aller éteindre la machine dans le basement.

Crispée sur le lit, roulée en boule dans son manteau de vison, avec ses énormes lunettes Dior, métal doré, verres dégradés sur le nez, Babette la fixait d'un regard de chouette.

— Je peux allumer ? demanda Gloria.

— Tu peux faire tout ce que tu veux, répondit Babette d'une voix si désolée que Gloria lui demanda si elle pleurait. Et à cette seule supposition, Babette éclata en sanglots. Que faire alors sinon venir vers elle, la prendre dans ses bras malgré son vison volumineux dont le contact lui répugnait, subir ce face à face terrible des lunettes monstrueuses, caresser la main aux longs ongles rouges baguée, comme une serre, d'un gros diamant monté sur griffes de platine. Au fond, se disait Gloria en embrassant Babette, elle représente absolument tout ce que je n'aime pas. Et l'embrassant encore, ce qui eut pour conséquence de redoubler ses larmes, elle est tout ce que je déteste !

Elle commença à lui dire du mal de l'Aviateur. Depuis qu'elle le connaissait, elle ne trouvait rien à mettre à son crédit. Il avait toujours été puant, on sentait le bourgeois de l'Est. Roulant des épaules, regardant le monde du haut de son mètre quatre-vingt-dix, il balayait tout ce qui n'était pas américain de l'indifférence qui lui avait été inculquée dès le berceau avec ce qu'il appelait l'humour, pour camoufler un mépris qu'elle ressentait cent fois plus fort que s'il lui avait foutu un coup de pied au cul en la traitant de sale négresse. C'était un type qui savait si bien baiser la loi qu'il faisait en sorte de vous mettre en tort. Il n'attendait qu'une chose, c'est que vous fissiez la faute. Ça s'était produit combien de fois ?

— Vous étiez comme chien et chat, interrompit Babette en se dégageant de l'étreinte de Gloria.

— On était surtout comme nègre et blanc. C'est quand même le seul type qui ait osé me parler de ma couleur. Il m'a dit exactement, posément, avec un air que je me rappellerai toujours : Le problème vient de vous, Gloria, pas de moi, ni des autres, vous ne DIGÉREZ pas votre couleur. Pauvre con de raciste, tueur de femmes, assassin d'enfants... Gloria hurlait : Qu'est-ce qu'il sait de la couleur noire, ce nazi ? Qu'est-ce qu'il sait de l'humiliation quotidienne ? Qu'est-ce qu'il sait de la libération des peuples opprimés ?

Babette ne supportait pas que Gloria en revienne toujours au Vietnam ! — Est-ce que je te parle de l'Algérie, moi ? dit-elle en élevant la voix pour atteindre le même niveau sonore. Est-ce que je te raconte, moi, ce qu'ils font les peuples opprimés quand ils ont des couteaux et des rasoirs ? Est-ce que tu veux des détails sur les guerres de libération ? Est-ce que tu veux savoir comment ma petite sœur est morte ?

— Mais ta sœur s'est suicidée, dit Gloria, soudain calmée.

— Oui, répondit Babette, ILS L'ONT ASSASSINÉE. Et à nouveau elle fondit en larmes sans que Gloria sût si c'était à l'évocation de la petite sœur qui était en elle comme l'enfant dont elle ne pourrait jamais accoucher ou si simplement elle repensait à l'amour qu'elle portait toujours à l'Aviateur ou encore si elle protestait contre l'injustice dont elle faisait preuve à son égard. Car tout raciste qu'il était, il avait épousé Babette Cohen, Française de rien du tout et juive d'Algérie, il avait demandé à Gloria d'être leur témoin et l'avait invitée toute noire qu'elle était à Belmont House.

Drôle de mariage où l'on mit tant de bonne volonté à ce que CELA se déroulât le mieux possible. Une belle-mère exquise que tout le monde appelait Sweetie qui passait son temps à présenter Babette, Élisabeth ce jour-là, sa belle-fille française dont elle raffolait, et son amie SI BRILLANTE, cette petite Gloria qui l'accompagnait parce que ses parents n'avaient pas pu venir si loin, tout en modérant les compliments qu'on lui retournait par la volonté que tout fût simple — juste et simple — comme d'habitude, pas de tralala. Une maison ravissante, leur propriété au bord de la mer, la terrasse décorée avec des orangers venus pour l'occasion de Californie afin qu'ils fussent tous en fleur et répandissent leur parfum suave et frais. Sweetie serrait la main de Babette et par une tendre complicité voulait lui rappeler qu'elle n'oubliait pas sa famille à elle : Votre maman aimerait, n'est-ce pas Élisabeth, votre maman ADORERAIT ! Une délicieuse organisation décontractée les avait laissés profiter de la plage jusqu'au bout comme s'il s'agissait dans cette fin d'été indien d'une journée de vacances entre amis de toujours. Trois heures d'un éclatant soleil avaient permis à la cérémonie religieuse d'avoir lieu sur la pelouse. Tiens, ELLE est protestante, avait constaté Gloria en entendant Babette jurer fidélité à l'Aviateur au nom du Dieu des chrétiens.

C'était si parfait, si calme selon Sweetie, si peace and love selon l'Amérique de ces années-là, que Gloria avait cru bon d'ajouter à la beauté du jour en signant sur le registre de mariage du nom de l'écrivain préféré de Babette, Stevenson. Personne n'y avait pris garde et c'était bien la preuve de l'indifférence que ces gens lui portaient, qu'elle s'appelât Stevenson, Jefferson ou n'importe quel nom d'esclave. Mais Babette l'avait remarqué et elle était allée la remercier — le seul instant peut-être où elles furent réellement amies — en lui disant qu'elle serait à tout jamais flattée que Stevenson fût revenu de son dernier voyage pour lui faire signe et puis, tant qu'à faire, elle aurait aussi aimé inviter Faulkner.

— Tu as déjà Docteur Jekyll et Mister Hyde, répondit Gloria, soudain boudeuse, et je ne supporte pas le Raciste du Sud !

Le soir, le temps fut à l'orage. Babette se rappelait que contrairement aux prévisions météorologiques le beau temps n'avait pas tenu. Mariage pluvieux, mariage heureux, comme on dit en français, esquissa Sweetie avec un superbe et dernier effort pour rassembler son monde dans les salons de Belmont House. Et le courage qu'avait montré Sweetie, mère d'un fils unique d'autant plus chéri et protégé qu'il rassemblait tous les espoirs d'une longue lignée d'hommes et de femmes convenables jusqu'à la perfection, vacilla, puis s'effondra sous l'effet d'une émotion qui n'était pas due qu'au bonheur. Un verre de champagne de trop avait accéléré un désappointement qui n'était pas de circonstance et qui eût pu la conduire jusqu'à la fausse note, chose que la pauvre femme craignait par-dessus tout comme la porte ouverte à tous les désordres de cette époque bar-

bare. D'abord Élisabeth, satin duchesse et robe princesse, redevint Babette en chaussant ses énormes verres obliques et strassés qui étaient ses lunettes de gala mais qui vieillissaient soudain la mariée au regard flou qu'elle avait été toute la journée. Sweetie se posait, un peu tard, la question de savoir si la myopie de sa belle-fille serait transmissible à sa descendance ou si les bons yeux de l'Aviateur sauraient contrecarrer cette tare ; au fond, et plus métaphysiquement, elle se demandait si le bien l'emporterait sur le mal.

Juste avant la pièce montée dont l'attente s'éternisait, Babette alluma une cigarette avec un geste qui montrait qu'elle en était coutumière. Elle avalait la fumée et la faisait ressortir longtemps après par son nez qu'elle dilatait avec volupté. Au moment où Sweetie, triturant son quadruple collier de perles qu'elle avait d'ailleurs l'intention de partager avec ÉLISABETH à la naissance de son premier petit-enfant, se demandait si elle n'allait pas mettre en garde sa belle-fille sur la nocivité du tabac pour les femmes qui veulent de beaux bébés, elle entendit son fils annoncer à ses garçons d'honneur qu'il avait fait à sa femme, pour leur mariage, le plus beau cadeau du monde, littéralement : qu'IL SE LES ÉTAIT COUPÉS. Alors que l'on réanimait Sweetie en lui expliquant avec mille précautions qu'une ligature des canaux spermatiques était un acte chirurgical malheureusement irréversible, la noce battait son plein et le marié, allégé de ses obligations génitrices, improvisait une danse de Sioux avec les membres de son escadrille sous le regard de sa jeune femme énamourée, adouci par la myopie et la reconnaissance.

— On s'était quand même bien amusées, dit Gloria qui riait encore de la scène.

— Quel culot, ce garçon, dit Babette en pensant à l'Aviateur et à toutes les raisons qu'elle avait de l'aimer. Il avait si bien compris ce violent désir de ne pas enfanter qu'il l'avait libérée d'un coup de ces contraintes contraceptives qu'elle appliquait jusque-là de façon quasi obsessionnelle. Ce n'est pas ton mari, tout d'avant-garde qu'il était, tout féministe qu'il se disait, qui aurait osé !

— Non, mais moi j'ai eu Chrystal ! riposta Gloria, et je lui en serai éternellement reconnaissante.

— Tu as Chrystal, c'est vrai, dit Babette, et toi qui détestes l'Amérique, tu es poings et pieds liés à tout le système.

— Explique-toi, je ne comprends pas.

— Je veux dire que Chrystal, c'est l'Amérique. Ou pour que tu comprennes mieux : tu es la Mama devant sa p'tite Scarlett : Mamzell Scarlett ! Mamzell Scarlett ! Il y a en toi une vieille esclave noire prosternée devant sa petite maîtresse blanche.

— Tu sais bien que Chrystal n'est pas blanche.

— Ose dire qu'elle est noire !

Gloria, sans répondre, arrêta la machine à laver.

Aurore restait perplexe devant la cafetière électrique qui s'était miraculeusement remplie de café chaud. Elle l'observait pour savoir comment retirer le réservoir qui semblait faire bloc avec le moteur. Tout nouvel appareil la décourageait, et à regarder cette cafetière d'un modèle à peine différent de celui qu'elle utilisait d'ordinaire, elle frémissait d'angoisse, avec au fond du cœur une envie de pleurer comme chaque fois qu'elle se trouvait livrée à elle-même, dans un endroit inconnu, devant des objets qu'elle devrait apprivoiser avant que l'on comprît qu'elle n'en connaissait pas le fonctionnement pourtant élémentaire. Lorsqu'elle était arrivée en France tante Mimi s'était rendu compte qu'à sept ans, Juju ne savait pas ouvrir un robinet. Quand on l'envoyait se laver les mains, elle restait plantée devant le lavabo à fixer la mécanique chromée dont certains, plus habiles qu'elle, savaient tirer de l'eau.

À repérer les ronds, les encoches et les cubes de la cafetière elle se sentait prisonnière d'un hermétisme moderne qui la terrifiait. Devant l'espèce de A aux jambes écartées qui figurait les toilettes des dames, elle avait du mal à reconnaître un sens féminin qu'un *ladies,* pudiquement calligraphié en anglaises, lui aurait aussitôt indiqué. À l'heure de l'ordinateur, elle continuait d'écrire à la main, dissimulant cependant qu'elle le faisait toujours au porte-plume. Dans les lieux publics, elle était cette personne arrêtée et songeuse qui contrarie le flot continu et rapide de la foule aimantée par des flèches. Alors qu'un jour elle confiait, ce qui n'était pas très diplomatique, au concepteur de l'aéroport de Roissy qu'elle se repérait assez mal dans son aérogare, il lui avait répondu d'un ton cinglant qu'elle n'avait pas à comprendre mais à suivre le sens giratoire, comme tout le monde ! Curieusement, cela l'avait soulagée, son incapacité était donc un signe d'intelligence, enfin d'une AUTRE intelligence. Tournant le dos à l'architecte, ils étaient dans un cocktail et c'est dans cette situation une figure permise en cas de manque d'affinités : Eh ! va donc suivre les flèches dans une forêt, continue de tourner en rond dans le désert, sans interroger le nord, le sud, sans chercher les étoiles !

Elle s'approcha de la fenêtre et regarda dans le soleil levant ce rose intense et doux qui s'étalait maintenant sur l'herbe et poursuivait l'écureuil, plus dodu et plus roux, gorgé de cette splendeur. Son cœur se dilata d'un bonheur enfantin et grave qui lui mit les larmes aux yeux. Comme un matin à Colombo devant un homme qui dans la lumière naissante s'éclaboussait à pleines mains pour laver son corps nu tout irisé de soleil ; au Caire pour avoir surpris dans un battement de paupières le glissement léger d'une felouque blanche sur le Nil encore sombre. La lagune d'Abidjan s'éveillait au jour dans une soie bleue qui, en se déployant, jouait avec l'or et le vert avant de fixer dans l'un de ses plis un rouge de pivoine épanouie, un rose de cœur d'hortensia à ne plus savoir ce que l'on voit. Voir toujours. Où qu'elle fût, une force implacable la poussait jusqu'à la fenêtre pour vérifier entre ses cils que le monde renaissait ici aussi et qu'elle n'était point morte avec la nuit.

En entrant, Gloria remarqua qu'Aurore n'avait pas allumé : — C'est qu'il y a tant de rose dehors, lui dit-elle, la tête toujours tournée vers la fenêtre, tant de douceur, que j'ai craint d'éteindre tout cela. Et puis elle expliqua qu'elle n'avait pas su se servir de la cafetière. — C'est simple, dit Gloria, et les gestes qu'elle fit autour de la machine lui parurent évidents comme tout ce que faisait Gloria. Elle la félicita, elle avait accompli un tour de force.

Pourtant la maîtrise apparente que Gloria avait des mécaniques les plus complexes et des inventions les plus sophistiquées dont son mari le Machiniste, qui avait mis au point un chef-d'œuvre technique, avait truffé la maison, se heurtait au refus primitif que les choses et la nature mettaient à contrarier leur domestication. Car si on peut comprendre qu'une maison flambe à cause d'un fer à cheveux qui dans sa rusticité avait mal enregistré l'ordre informatique donné, comment expliquer que c'est sur la maison de Gloria, pourvue d'un paratonnerre électronique, que la foudre s'était abattue un soir d'été, le jour justement où les réserves d'eau puisées dans l'Arkansas étaient à sec ? Devant les tuyaux vides des pompiers, les voisins avaient fait la chaîne avec des seaux et des bassines lentement remplis aux robinets de leurs cuisines. Comment expliquer que la neige si abondante de l'hiver dernier d'où surgissait ce splendide printemps avait couché à terre les barrières de bois qui limitaient son jardin, alors qu'à quelques mètres ses voisins avaient retrouvé leurs clôtures bien droites ? Ils étaient déjà en train de les repeindre alors que Gloria attendait qu'une entreprise de la ville vînt redresser les siennes avec de lourds engins qui défonceraient son terrain et écraseraient la végétation que les épaisses barrières avaient épargnée.

L'année précédente, elle avait été victime d'une inondation. L'eau de la Middleway, l'affluent de l'Arkansas que l'on avait pourtant mis au pli en lui offrant un tracé souterrain, s'était frayé dans sa crue printanière une sortie dans sa cave et avait jailli en geyser jusqu'au premier étage. La rivière avait déposé sur la moquette de son bureau les riches et épaisses alluvions qui n'enrichissaient plus depuis son ensevelissement urbain ni les plaines à blé arrosées artificiellement ni les territoires indiens où l'herbe sèche roulait en balles dans le vent.

Gloria avait reconstruit sa maison. Elle avait monté un toit neuf avec de grandes plaques préfabriquées doublées de fibre de verre, imitation tuiles rouges. Elle avait remplacé les fenêtres de bois à guillotine par des triples structures d'aluminium qui faisaient volets, fenêtres et moustiquaires. Avec ce courage et cette patience de pionnière, elle avait enlevé, seule, l'eau et la boue. À quatre pattes, les fesses en l'air, le nez sur le sol, elle avait essuyé dans le geste arrondi et millénaire des femmes, avec des serpillières qu'elle tordait à mains nues.

Elle avait nettoyé chaque meuble, chaque ustensile, elle avait dévissé, décrassé, remonté. Les livres de sa bibliothèque avaient séché tout un été torride sur le gazon jauni ; elle avait passé ses vacances à décoller et à tourner des pages dans un simulacre de lecture qu'elle offrait au vent et aux nuages du Kansas. À l'automne les couvertures racornies et les pages gonflées avaient retrouvé les rayons définitivement gondolés de la bibliothèque. La maison avait gardé une odeur de boue qui faisait penser, si on fermait les yeux, que l'on vivait dans un marais. Si on les ouvrait, on était plongé dans un univers verdâtre qui évoquait un aquarium mal tenu. Les plantes vertes suspendues au plafond par des filets de macramé s'agitaient comme des algues.

Ça me rappelle l'Afrique, lui dit Aurore.

Sa maison du Cameroun avait disparu dans un feu de brousse allumé par des chasseurs. Au début, pour attendre la chasse, elle s'était postée avec sa petite chimpanzé Délice à la lisière de la forêt. Elle regardait surgir les animaux que le feu poursuivait, quelques-uns d'abord qui arrêtaient leur course sous son nez, puis des troupeaux entiers qui filaient sans la remarquer. Soudain le mur de flammes que la terre battue du tennis retenait lui fit face, aussi haut qu'une maison. Il allait mourir devant elle, presque à ses pieds, faute de bois à consumer, faute de bambous et d'herbe à dévorer, dompté par cette simple terre rouge et nue. Mais le vent avait plié la vague de feu, elle avait reculé et s'était redressée comme le flot d'un mascaret pour recouvrir le parc et les jardins et surgir, avant que les adultes aient eu le temps de lui barrer la route, derrière la maison à l'endroit où les bidons d'essence étaient stockés. L'explosion les projeta en l'air. La maison fut submergée par une pluie de feu. Le toit de feuilles de coco nattées flamba avec ce bruit atroce de tempête sèche qui hurle.

Aurore avait figuré sur la liste des disparus, avec ses parents et tous les domestiques. On avait mis du temps à la retrouver, beaucoup plus loin en contrebas de la colline, vers le fleuve, sans cheveux, avec Délice toute pelée, toute morte qui lui pendait entre les bras, semblable à une longue poupée de chiffon. Elle était recouverte d'une cendre grasse qui la teignait en gris comme si on l'avait plongée dans le tonneau où les sorciers fabriquaient la peinture destinée à rendre les guerriers invulnérables et les chasseurs invisibles. Elle avait été invisible jusqu'à ce qu'elle ouvrît ses yeux bleus. Elle se rappelait seulement qu'elle sentait la forêt et que ne sachant où aller, elle mettait un soin infini à faire des traces en déposant l'empreinte de ses pieds dans une douce et épaisse cendre aussi précieuse que le sable que la mer rend à la plage le matin et sur lequel les naufragés écrivent leurs messages de désespoir.

C'est à l'époque de l'incendie de la maison de Middleway que le Machiniste avait transporté ses instruments nombreux, complexes et fragiles, chez ses parents, à l'autre bout de la ville, dans un quartier petit-bourgeois qui vivait dans le culte de l'assurance et de la sécurité. On y avait aussi mis Chrystal à l'abri, le temps de réparer et de nettoyer la maison. Mais la gamine furetait partout à la recherche du moindre indice comme si au lieu de l'épargner on lui avait au contraire caché un événement d'importance qui la concernait au plus haut point. Elle avait fini par repérer dans la fente du parquet l'œil d'une de ses peluches que le feu avait fait éclater. Tu vois, tu vois, avait-elle sangloté en brandissant à sa mère la preuve du désastre. Elle la soupçonnait d'une faute majeure et on ne pouvait cependant comprendre, tant elle y mettait de véhémence, si elle l'accusait d'avoir mis le feu ou de l'avoir simplement privée du spectacle. Gloria, dont en dépit de tous les lavages la suie accusait les flétrissures des mains, laissait passer l'orage qu'elle mettait sur le compte d'une peur rétrospective. Elle ne voulait pas entendre que dans le chagrin de Chrystal il y avait surtout le regret de ne pas avoir affronté un accident exceptionnel qui l'eût rendue à ses propres yeux SO SPECIAL, du nom même du parfum que toutes les adolescentes portaient cette année-là : SO SPECIAL.

Les soldats, se souvint Aurore, avaient réussi à lui enlever Délice qui sentait déjà mauvais. Ils avaient desserré un à un tous ses doigts, ils avaient écarté son coude, soulevé son bras et retenu sa main qui voulait tout reprendre. Ils lui avaient enlevé les lambeaux d'une robe jaune qui restaient collés à sa peau. Ils l'avaient enveloppée dans un drap mais elle n'avait pas de chaussures. Elle éprouvait encore sous la plante de ses pieds nus la chaleur de la cendre éteinte. Elle détachait sur ses bras et sur ses jambes une pellicule grise et fine comme une toile d'araignée. Pour s'abriter, les soldats avaient construit une case avec du bois vert qui craquait la nuit quand il rendait aux étoiles la chaleur du soleil. Les poutres perdaient une sève blanche et laiteuse que buvaient des lézards transparents. Lourds de sucs, ils tombaient sur le sol, les fourmis s'enrageaient en les tétant à leur crever le ventre.

Il avait fallu près d'une dizaine de jours pour regagner Yaoundé où leur convoi était attendu dans une ambiance de compassion atterrée et Aurore était passée de main en main, serrée sur des poitrines de femmes, soulevée par des bras d'hommes qui tous voulaient lui donner la chambre de leur enfant, le lit de leur enfant. Elle resta encore quelques jours au milieu de cette effervescence tragique à ne pas savoir ce qu'il fallait faire des objets qu'on lui mettait dans les bras, de la nourriture qu'on lui fourrait dans la bouche, à fermer les yeux pour ne plus voir tous ceux qui la regardaient et à caresser du bout du doigt la légère petite brosse blonde et soyeuse qui lui repoussait sur le crâne.

Et puis ce fut le jour du départ pour Douala, mais avant on devait lui acheter une paire de chaussures. Elle en avait très envie, parce que ce serait le seul objet qui lui appartiendrait dans un endroit où tout lui avait été prêté puisqu'elle avait tout perdu et elle avait peur que les gens qui lui en avaient fait la promesse ne la tiennent pas. Aussi répétait-elle sans cesse : Quand est-ce qu'on va m'acheter mes chaussures ? mettant un entêtement, une obstination qu'aucune assurance n'arrivait à vaincre jusqu'à ce qu'on l'eût conduite dans le magasin. Là, nouveau caprice, elle ne voulut jamais passer au rayon enfant. Elle s'installa dans la partie réservée aux hommes, désigna un modèle lacé, pointure quarante, et ne voulut pas en démordre. On lui laissa emporter cette paire de chaussures d'homme alors qu'elle continuait d'aller nu-pieds.

De la jetée, ils la virent le cœur serré, si petite avec son duvet blond, descendre crânement dans la chaloupe qui devait la conduire en mer où les passagers étaient hissés dans des filets à bord du paquebot. Un couple qui partait en cure à Vichy devait assurer sa protection pendant la traversée. L'homme la prit dans ses bras et la femme voulut la débarrasser de la boîte en carton.

Gloria se demandait quelle boîte invisible Aurore portait ce matin-là sous le bras. Elle la sentait si proche de pousser le cri qu'elle avait poussé là-bas quand la brave femme avait tenté de lui prendre sa boîte de chaussures, si proche de ce chagrin terrible que lui donnait soudain l'absence, l'éternelle absence de ses parents. Son poing s'était définitivement refermé sur la jupe de sa mère à laquelle elle voulait se retenir.

Quand elle se retourna, les jambes et les pieds nus sous le tee-shirt qui lui servait de chemise de nuit, il y avait tellement en elle de l'enfant abandonnée qui était restée là-bas en Afrique que Gloria voulut la serrer dans ses bras et l'embrasser sur le haut du crâne où les cheveux avaient repoussé.

— Je me sens misérable, dit Aurore, je me lève trop tôt et je perds mon énergie comme une vieille casserole trouée. Il ne m'en reste qu'un tout petit fond, une goutte que je devrai économiser pour tenir jusqu'à tout à l'heure. Parce que si le zoo appelle, il faudra faire bonne figure, les persuader que je suis capable de m'occuper des petits chimpanzés. Les gens ne vous jugent que sur l'enthousiasme, la passion et... l'énergie !

— C'est le décalage horaire, dit Gloria, en essayant de faire de la place sur la table. Elle rassemblait des dossiers, des fiches autocollantes jaunes où étaient inscrits des messages téléphoniques, et ses longues boucles d'oreilles en toc dépareillées. On est toutes comme ça à voyager sans cesse. Tu ne peux pas savoir à quel point parfois je me sens épuisée. Je me suis évanouie la semaine dernière dans l'avion de Houston.

— Mais ce n'est pas seulement le décalage horaire, dit Aurore en s'asseyant à la table de la cuisine, c'est le décalage avec le temps, avec l'espace, avec les autres, avec les femmes, avec les hommes... et son regard se posa sur une grosse boîte en plastique que Gloria avait poussée au bout de la table pour pouvoir dresser le couvert du petit déjeuner. Une bête s'agitait à l'intérieur.

— C'est un rat, dit Gloria. Chrystal voulait un chien, un chat, je lui ai acheté ça et bien sûr au bout de deux jours, elle ne s'y est plus intéressée. C'est moi qui m'en occupe, dit-elle en ouvrant le couvercle et en lui jetant un morceau de carotte. À la décharge de Chrystal, elle expliqua que la bête vivait la nuit et dormait le jour.

— Mais elle ne dort pas, observa Aurore. Le rat sautait de bas en haut afin d'atteindre avec la tête une petite aération découpée dans le couvercle. Il s'agitait avec une frénésie que décuplaient le silence de la cuisine et celui de la maison.

— Du calme, dit Gloria en s'adressant au rat, du calme !

Mais l'autre bondissait de haut en bas et de bas en haut dans un va-et-vient infernal comme s'il avait trouvé en lui-même le principe du mouvement perpétuel. Elle tapa du plat de la main sur la boîte pour stopper l'agitation folle et mécanique de la bête et pour l'inciter à ronger sa carotte ou à retrouver sa roue, jeu odieux mais qui ne faisait pas de bruit.

— Et ta bête à toi, c'était quoi ? demanda-t-elle à Aurore qui ne voyait pas à quoi elle faisait allusion. Enfant, elle avait possédé tant d'animaux étranges, modèles uniques, coups d'essai d'une nature prolifique et imaginative, associations curieuses de plumes et de poils, de pattes et de mains, de mamelles et de sexes, de queues et d'oreilles, de dents et d'écailles, de peau et de pustules et de ce qu'il fallait de rayures, de taches avec en prime beaucoup de couleurs qui disparaissaient au toucher et s'effaçaient en mourant. On leur cherchait un nom et on n'en trouvait pas, on leur cherchait une nourriture et on ne la trouvait pas.

— Pas ceux-là, dit Gloria, comme si Aurore lui avait dressé un tableau scientifique des espèces qui peuplaient la forêt tropicale, TA BÊTE, la bête du livre ? Elle avait tendance à mélanger la littérature et la vie d'Aurore, à les superposer, à chercher les clefs de l'une dans l'autre, comme si le roman n'était que la transposition de la vie, comme si écrire n'était jamais que dire sous une forme dérobée, la plupart du temps plus lyrique, plus intense ou plus rudimentaire, les incertitudes, les ruptures, les aléas de l'existence.

Comment allez-vous pouvoir décrire l'amour si vous ne le connaissez pas ? avait demandé à Aurore un homme qu'elle repoussait. Persuadé qu'il était l'amour et qu'Aurore n'avait pas eu jusqu'à lui l'occasion de le connaître, il pensait peut-être qu'en la baisant, il lui ferait cadeau d'un livre. Il s'imaginait sans doute que les romanciers étaient aussi avides d'exercer leur vie que les chercheurs de trouver des documents inédits et qu'ils enregistraient toutes les occasions d'écrire.

C'est que vous voyagez beaucoup, avait dit une dame, ceci expliquant cela. Avec la vie que j'ai eue, je pourrais écrire un roman, lui confiaient des lecteurs qui lui achetaient ses livres comme on se fournit en congelés parce que l'on n'a pas le temps de faire soi-même la cuisine.

— C'était, répondit Aurore, une sorte de petit marsupial, mais je ne l'ai appris que récemment par un documentaire. Il y en avait des centaines, avec des yeux ronds comme des billes et des petites mains aux ongles — pas des griffes — transparents. Comme nous, dit-elle en tendant sa main aux ongles courts et puis elle ajouta que ce qui l'avait le plus étonnée en Europe, c'était que tout fût étalonné, fixé dans des normes : des vaches, des chiens, des poules et pas seulement l'espèce générique mais leurs races particulières. Tout avait un nom, du perce-oreille à la bête à bon Dieu, seuls les étoiles et les microbes surgissant de l'inconnu du très vaste ou du très petit provoquaient encore l'interrogation. Mais les hommes en blanc penchés sur leurs microscopes annonçaient en conférence de presse qu'un virus nouveau était apparu, pendant que les astronomes les yeux levés vers le ciel saluaient la naissance d'une étoile lointaine. Les objets inconnus retombaient dans le grand catalogue des choses connues que l'on s'empressait de refermer et d'oublier parce que l'on ne peut tout savoir, ni tout retenir.

Tante Mimi tenait à ce que chaque objet eût un nom et une place dans l'univers. Cela commençait par l'ordonnance de la table, fourchette à gauche, couteau à droite, et se poursuivait dans les allées du parc Beaumont par la dénomination de toutes les espèces végétales : Répète ; puis sur la promenade des Pyrénées par l'appellation de chaque pic et montagne : Répète, ordonnait-elle à Juju. Et enfin, au hasard des rues, par la désignation de tous les noms des rues et des places de la ville devant leurs plaques : Épelle. La bête était restée sans nom.

À la façon de tante Mimi, Gloria exigeait qu'il ne restât pas la moindre part d'ombre dans l'univers littéraire d'Aurore, car comment traduire alors l'intraduisible, s'approprier l'inconnu ? Il lui semblait que l'écrivain était le savant de son œuvre et qu'il devait, lui au moins, en avoir une idée claire. Elle était heureuse d'avoir appris que la bête était un marsupial et dans *African Woman* elle rendrait ce vocable imprécis par : le « petit marsupial ».

— Je pense, dit Aurore, que bête est mieux. Et alors surgirent contre sa peau la douceur blonde du petit animal, sa tête ronde, la souplesse annelée de sa queue touffue, son odeur âcre, sa chaleur piquante et le pianotage caoutchouteux de ses doigts qui emmêlaient ses cheveux pour y faire un nid. Oui, dit Aurore, je préfère bête.

Lorsqu'elle avait glissé de son épaule, qu'elle était tombée sur le sol, qu'elle lui avait mis le pied dessus, qu'elle l'avait écrasée, pour la consoler on lui avait dit : Mais ce n'est qu'un RAT PALMISTE, il y en a des milliers ! Quand il avait fallu l'achever en la frappant à grands coups contre le mur pour faire cesser ce tremblement qui traversait tout le corps, elle n'était plus qu'un RAT, un RAT DÉGOÛTANT.

— J'ai froid, dit Aurore, et Gloria lui prit les pieds qu'elle posa sur ses cuisses chaudes et commença à les frotter entre ses mains. Je sais, se disait Gloria en se rappelant ce que lui avait dit Babette, je me conduis comme la vieille mama devant la princesse blanche, je suis l'esclave de Lola, de Chrystal et d'Aurore, mais elles sont si vulnérables et moi si forte, et elle continuait à frotter les pieds d'Aurore pour la réconforter, si incroyablement forte, si immensément forte. Aurore se laissait faire dans un abandon d'enfant en nourrice. Elle éprouvait une sensation d'une douceur ineffable à poser ses pieds juste au-dessus des genoux de Gloria, puis à les enfoncer entre les cuisses brunes et dorées, tendres et molles, larges et accueillantes et tandis que la chaleur lui revenait un peu, pendant que les mains sèches s'activaient, elle pensait qu'elle avait de l'amour pour le corps de Gloria, pour sa couleur de miel sombre, pour sa texture élastique, alors que dans la vie elle n'aimait pas cette coutume de se dire bonjour en se frottant la joue, en mélangeant ses fards.

Par sa façon d'empoigner l'existence à bras-le-corps comme s'il s'agissait non pas de se laisser vivre mais de combattre à tout bout de champ, Gloria ressemblait beaucoup à Leila. C'était à Paris la seule amie d'Aurore. Elles s'étaient rencontrées une dizaine d'années plus tôt devant le Monoprix du boulevard Sébastopol. Leila était effondrée sur le trottoir comme une femme qui vient de casser le talon de sa chaussure. Elle pleurait et la foule s'écartait devant elle. Aurore lui proposa de l'aider, elle refusa. Il ne s'agissait pas d'un talon cassé et elle voulait qu'on la laissât à sa douleur, à son chagrin, à pleurer seule sur le Sébasto. Aurore parvint à lui faire traverser le boulevard. Elles s'installèrent au café qui fait l'angle avec la rue Réaumur. À peine assise, Leila prit une autre allure, une sorte de dignité conquérante, presque provocante, en commandant un picon-bière. Aurore reconnut une femme d'habitude. C'est moi qui offre, dit-elle, indiquant ainsi à celle qui lui avait porté secours que son emprise ou sa domination s'arrêtait là, et qu'ayant repris ses esprits, elle reprenait aussi les rênes du destin.

Au deuxième picon-bière, elle ouvrit son panier, en sortit un minuscule chien apeuré, enveloppé dans un pull-over, le mit sur les genoux d'Aurore, et lui dit : Tiens, je vous le donne !

Je suis allée là-bas, expliqua Leila en désignant la direction de la Seine. Je leur ai dit : J'en veux un doux, gentil, qui ne grandisse pas, c'est pour un malade. J'ai claqué tout mon fric ! Elle faisait passer entre le pouce et l'index le nombre de billets que lui avait coûté le chiot, plus les granulés, plus le collier et la laisse. C'est un CROISÉ, dit-elle avec orgueil.

Elle destinait la petite chienne à son père, un ancien harki qui terminait ses jours dans une soupente du quartier. Elle voulait que ce soit un cadeau de réconciliation parce qu'elle n'avait pas été la fille qu'il méritait et aussi parce que, apprenant qu'il était très malade, elle souhaitait lui offrir un succédané d'elle-même, un concentré de tout l'amour qu'elle n'avait pas pu lui donner. Elle s'obstinait à croire, comme tous les mal-aimés, que l'amour que l'on n'a pas reçu existe quelque part, prêt à vous fondre dessus.

Il lui avait ouvert, cachectique, le teint terreux, cassé en deux, la tête dans le nuage pestilentiel de sa cigarette. Elle ne l'avait pas reconnu.

C'est quoi ? avait-il demandé agacé sans paraître la voir. Leila lui avait tendu la chienne : C'est pour toi.

Il avait blêmi puis il était rentré dans une de ces colères qui le faisaient autrefois bégayer quand il éructait ses insultes et ses menaces. Mais là, il toussait, avec des quintes si fortes qu'elles lui arrachaient la poitrine et le faisaient chanceler. Une chienne, criait-il, pendant que Leila le poussait jusqu'à son fauteuil, cette pute m'offre une chienne. Fous le camp, ordure.

Il lui avait dit qu'elle avait de la chance qu'il ne pût tenir sur ses jambes, parce qu'il ne se serait pas privé de la battre, de lui écraser le nez, de lui arracher les cheveux et pour finir de lui passer un couteau au travers de la gorge comme à une porque qu'elle était, comme sa mère, comme ses sœurs et comme la France qui l'avait laissé tomber.

Dans le fond, il n'avait pas tort, commentait Leila, elle était bien une prostituée, la chienne était une chienne et la France l'avait oublié avec une pension d'ancien combattant et un crédit illimité sur les gauloises bleues qu'il fumait à la chaîne. Mais il n'aurait pas dû l'insulter. Pute ne se disait pas, elle préférait ce qui était marqué sur sa feuille d'impôts : « travailleuse indépendante », qu'elle traduisait par exigence morale en « travailleuse humanitaire ». Et puis porque n'était même pas français.

— Si, dit Aurore, mais du vieux français.

— Mais lui, il a voulu dire cochonne. Qu'est-ce que tu penses de travailleuse humanitaire ? questionna Leila.

— C'est bien, dit Aurore.

— Et puis ça dit bien ce que ça veut dire. Si tu savais toutes les souffrances que je soulage, comme ça, avec rien, avec moi-même...

Restait la question de la petite chienne. Malgré l'envie qu'elle avait de la garder, Aurore expliqua à Leila qu'elle partait quelques jours plus tard pour l'Afrique.

— Tu voyages pour tes affaires ? demanda Leila.

— Je fais des repérages.

— Du cinéma ? demanda Leila soudain très excitée.

— Des documentaires, répondit Aurore, et pensant modérer l'emballement de Leila, des documentaires animaliers.

Or Leila n'aimait rien tant à la télévision que les séries américaines et les documentaires sur la disparition des grands animaux. Elle vivait dans un univers où le gros dévore le petit, où les hommes dressent des pièges aux femmes, où les femmes s'étreignent dans des embrassements de mygales, où les hyènes dévorent le gnou nouveau-né empêtré dans les glaires maternelles. Les blondes des feuilletons n'agissaient pas autrement que les chiens de prairie qui se volent leurs petits.

Des prédateurs, tous des prédateurs ! Les crocodiles, les requins, les tigres se jetaient sur leurs proies, pendant que d'une série à l'autre les mêmes actrices se dévoraient entre elles. Une brushée-laquée avec des boucles d'oreilles grosses comme des soucoupes avait successivement épousé tous les hommes d'une même famille, si bien qu'on ne savait pas si son dernier mari était le grand-père ou le père d'un enfant qui serait donc, selon la solution donnée par la recherche génétique à laquelle le feuilleton faisait appel, à la fois le frère, l'oncle ou le grand-oncle de sa grand-mère qui copulait avec les héros d'une autre série dont l'histoire suivait exactement le même scénario. Et devant cette famille animale et humaine qui se regénérait à l'infini pour mieux se détruire, Leila soupira :

— Tu n'as plus personne, toi non plus ?

— Plus personne, répondit Aurore et elle ne mentait pas. Leila commanda un picon-bière de plus et le but à la santé de toute cette solitude assemblée, celle d'Aurore, la sienne et puis, la toute nouvelle solitude de la chienne : Pauvre petit bout, commencer comme ça dans la vie.

De son humiliation primordiale, la chienne garda des traces. Ses débuts furent difficiles, elle refusait de marcher, de descendre les escaliers, de rester toute seule. Elle boudait, le museau entre les pattes, avec si peu de réactions aux multiples incitations de Leila que celle-ci la crut sourde. Seul son regard soudain divergent indiquait le degré de son refus. Bientôt elle mangea ce qu'elle voulut, et ce qu'elle voulait se trouvait dans l'assiette de Leila, à la température de ce que mâchait Leila. Elle dormit sur l'oreiller de Leila, sous sa couverture. Son intolérance aux occupations de sa maîtresse limitait les passes à quelques minutes et encore à condition qu'elles ne s'enchaînent pas. En revanche, elle aimait tapiner, c'est-à-dire qu'elle allait et venait la queue en trompette et le nez dans le caniveau délimitant au centimètre près le territoire de Leila sur le trottoir : La pauvre, ça la sort !

Longtemps Aurore resta sans aller les voir, persuadée qu'elle ne retrouverait ni l'une ni l'autre, mais Leila était à son poste au coin du Monoprix avec au bout d'une laisse rouge Bobinette qui du croisé avait choisi d'être surtout un basset, un basset haut sur pattes avec une queue de loulou de Poméranie. Elles firent fête à Aurore et Aurore prit l'habitude d'aller les retrouver, quand elle était à Paris, une à deux fois par semaine.

Lorsque Leila était occupée, elle s'adossait à sa place pour l'attendre, et elle restait les yeux dans le vide pour montrer qu'elle n'en était pas. Un jour qu'elle gardait Bobinette pendant que Leila faisait son travail, un homme l'aborda, il l'avait prise pour Leila, À CAUSE DU CHIEN précisa-t-il en s'excusant, son regard n'était pas monté jusqu'à son visage.

Leila ne parlait pas de son métier, et Aurore apprit par hasard que l'angle Réaumur-Sébastopol était un endroit stratégique pour lever les jeunes cadres dynamiques qui accompagnent leurs femmes faire les courses au Monoprix. Quant au sexe, elle se servait de métaphores animales qui n'étaient pas, on s'en doute, en faveur des hommes : une taupe qui fouille sa motte. Alors que chez l'éléphant, Leila mimait sur le trottoir une bataille de cimeterres. Ils balancent leur immense machin à décrocher la lune. Le yatagan dans la Voie lactée. L'avenir, lui confia-t-elle, c'est la bestialité.

Elles prenaient un verre chez Ahmed, et Leila s'inquiétait de la santé d'Aurore. Il n'était pas plus sain de se trimbaler dans tous les zoos du monde que de faire des va-et-vient dans une cage d'escalier. Elles parlaient de changer de vie. Tenir ensemble un toilettage pour caniches : Ah ! je leur soignerai la violette ! Raconter des histoires d'animaux célèbres dans les écoles. Faire la lecture aux aveugles. Mais là, attention, Leila prévenait Aurore, pas de roman ! Les histoires longues, ils s'en fichent, ça les lasse. Du concret comme dans les catalogues, la rubrique appareils ménagers, voilage et objets de décoration : une paire de chenets en laiton imitation cuivre avec deux têtes de lion... ; une ravissante bonbonnière en porcelaine de Limoges peinte à la main de personnages champêtres rehaussés d'or... S'interrompre pour décrire ce qu'il y a sur la photo : une bergère en robe bleue avec un petit bouquet à la main. Ça tu vois, ça leur plaît. Aurore était touchée jusqu'au fond du cœur que Leila comme Gloria, en liant leur sort au sien, désirent L'EN SORTIR.

Leila avait un tuyau pour devenir inspecteur à la fondation Brigitte-Bardot. C'est une femme, commentait Leila, qui en sait long sur la vie. La fonction d'inspecteur ne demandait pas de compétences particulières, seulement du cœur, mais alors un cœur gros comme ça. Et parce que Aurore lui demandait ce que ces inspecteurs inspectaient, Leila lui expliqua passionnément qu'ils portaient secours à tous les animaux maltraités, au Pérou, en Andalousie et même en France, dans les laboratoires, les fermes, les abattoirs : les chiens enchaînés auxquels on a coupé la langue, les chats à qui on a arraché les yeux, les veaux aux pattes cassées, les singes qui grelottent de fièvre... Là-dessus, elle ne voulait pas en dire plus, mais elle suppliait Aurore de penser à ce nouvel état qui changerait radicalement leur existence. Avec trente millions d'amis et soixante millions de consommateurs, il y avait du pain sur la planche.

En reprenant le métro qui la conduisait à Odéon parmi la foule du soir, devant les visages fatigués, Aurore se disait que Leila avait raison de rêver à un travail humanitaire où ne s'exercerait que le cœur. Il fallait des aides pour cette vie ordinaire qui était devenue si dure. Regarder les gens qui espèrent votre regard, ramasser un gant qui tombe, tenir une porte, pousser un tourniquet, porter un paquet, c'était dans ses cordes. Rien que du concret, comme dans les catalogues. Elle allait se mettre d'arrache-pied à la lecture des journaux de consommation qui savent si bien dans leurs tests comparatifs déjouer les pièges, et faire de la détection du boulon tordu ou du système électrique défaillant un feuilleton aussi passionnant que les séries télévisées. Elle lirait à ses non-voyants : Avez-vous VRAIMENT besoin d'un sèche-linge ? Et les gens croiraient entendre une version moderne, métallique et électronique des prédateurs !

Alors, dit Gloria sous le coup d'une illumination, si à la place de petit marsupial on mettait tout simplement : rat palmiste ? Pour l'exotisme.

Aurore retira son pied.

Sur le pas de la porte, Babette surgit en chemise de nuit de nylon vert d'eau, elle disait chemise de nuit mais il s'agissait d'un de ces trucs honteux qu'on appelle nuisette et que Gloria qui ne jetait rien avait sorti du fond d'un de ses tiroirs, du fond de sa propre histoire, pour la dépanner. Elle était chaussée de bottes mexicaines en crocodile noir avec des incrustations d'argent sur la tige et sur la pointe, et elle avait jeté sur ses épaules en guise de robe de chambre son manteau de vison d'une carrure formidable. Elle portait ses lunettes Dior. Impossible de mettre mes verres de contact, j'ai les yeux comme ça ! et elle montrait avec la main recroquevillée qu'elle avait à la place des yeux des boules tuméfiées.

Gloria lui conseilla des compresses de thé. Babette eut un geste désabusé, elle avait tout essayé, l'eau de bleuet, de rose, de fleur d'oranger... Gloria lui assurait que le thé avait un pouvoir SUPER-décongestionnant. Aurore avait mis deux sachets à tremper dans la théière et Babette les plaqua contre ses yeux, sous ses lunettes. Le thé coulait sur son visage comme des larmes sales.

— Je vieillis, dit Babette en éclatant en sanglots. Voilà ce qu'il m'a fait. En me quittant, il m'a vieillie d'un seul coup !

Et comme elle exposait ce corps magnifique à travers la chemise transparente qui lui collait aux seins et aux cuisses, Aurore et Gloria ne la trouvaient pas vieille du tout, et même rudement désirable. N'importe quel homme qui aurait sonné à la porte — le facteur, un flic, un pompier et même le pasteur d'en face —, à qui on aurait ouvert à cet instant, se serait jeté sur Babette. Il l'aurait emportée — toujours à leur idée — tel un morceau de roi entre ses bras virils. Pour le lui prouver, Gloria proposa de convoquer le professeur de grammaire espagnole dont la femme était retournée au pays pour lui livrer Babette toute crue.

— Il m'a vieillie, elle n'en démordait pas. Elle enleva ses lunettes, souleva les sachets de thé et releva le visage pour leur montrer l'ampleur des dégâts. Un vrai ravage, une peau flasque, un nez rouge, une bouche mince, des yeux égarés, avec une sorte de désordre dans les traits.

Du DÉSORDRE, se dit Aurore, jamais je n'avais utilisé le mot en dehors du désordre matériel qui ne l'exprime pas totalement. Elle aimait que la vie lui permît d'éprouver le vocabulaire. Il lui revint l'expression « réparer le désordre » qui est dans la littérature classique une obsession. Au XVIIe siècle, on fuyait le désordre et l'on avait bien raison. Tout juste se permettait-on d'être bouleversé sans aller jusqu'au bouleversement. On ne doit pas se tromper de mot, sans risquer de se tromper d'états d'âme et d'attitudes. Et pendant qu'elle rêvassait autour des traits défaits de Babette, Aurore ressentait de l'animosité envers Gloria qui mélangeait allégrement les termes et serait passée sans s'en rendre compte du désordre au bouleversement !

— Ah ! la tête, eh bien oui, la tête, disait Gloria en s'adressant à Babette, surtout infiltrée par les larmes, la fatigue du colloque, sans compter l'alcool d'hier soir et tous les somnifères que tu as pris, ta tête n'est pas belle. Et si tu veux la vérité, continua-t-elle (pas cette vérité-là se dit Aurore, pas cette vérité qui est seulement l'expression d'un ressentiment), tu es carrément moche, si tu veux savoir, mais pas vieille. Pas plus vieille après l'Aviateur qu'avant. Mais pas trop jolie, comme autrefois, comme avant l'Aviateur.

En face de Babette secouée de sanglots, elle lui rappelait que c'était toujours le même drame avec son nez trop gros, sa bouche au rasoir et sa myopie qui exorbitait ses yeux. Tu ne te plaisais pas, tu ne t'es jamais plu. Drame quand tu te faisais faire une indéfrisable, drame quand tu changeais de lunettes, drame quand tu t'achetais du fond de teint... Aujourd'hui, ce n'est pas pire qu'hier et je ne perdrai pas une minute pour te redire ce que je n'ai cessé de te répéter — elle comptait dans sa tête — ... depuis vingt-sept ans.

Oui, mais l'Aviateur lui avait fait oublier son visage ! Mon œil, interrompit Gloria, la preuve, ton visage, il est là avec toi, c'est ton visage de toujours et se penchant au-dessus de Babette pour l'embrasser, c'est celui qu'on aime, c'est celui de notre Babette chérie, et plongeant brusquement sur Babette, elle l'embrassa sur les deux joues en lui serrant la tête contre sa poitrine comme s'il s'était agi d'un objet égaré qu'elle eût ramassé pour le poser quelque part.

Aurore trouvait que Babette n'était pas autrement troublée par une violence qu'elle aurait eu pour sa part du mal à subir et qui était déjà difficile à supporter comme témoin. Vis-à-vis de Lola, Gloria montrait plus de doigté, quoiqu'elle la traitât avec rudesse, exerçant sur l'actrice une thérapie qui exigeait que l'autre, qui n'avait pourtant pas agi autrement toute sa vie, ne fît pas en sa présence des caprices : Tu n'es pas une star ici !

À l'université, elle avait la réputation d'être dure et d'appeler un chat un chat. Des blessures d'orgueil ne s'étaient jamais refermées, leurs souffrances muettes se transformaient lors des votes secrets en une opposition systématique, aveugle et farouche. Il n'est pas sûr que les sourires et les signes de courtoisie ou de vive amitié qui s'exprimaient là-bas dans son entourage ne fussent pas de simples rites propitiatoires à cette violence cataclysmique que le moindre manquement pouvait réveiller.

À l'égard d'Aurore, Gloria déployait tous les charmes d'une séduction qui n'était pas achevée et qui aurait encore à vaincre l'obstacle majeur de CET EMPRUNT dans lequel elle s'était passionnément engagée. D'une façon ou d'une autre ce serait la cause d'une rupture que, dans l'état de ses sentiments pour Aurore, il lui était impossible d'envisager. Aimant mieux, si la supercherie était découverte, l'enlever, la retenir, que la laisser partir pour toujours. Mon Dieu, se disait Gloria qui songeait aux moyens pratiques de la séquestration d'Aurore, somme toute plus simple à organiser que le difficile aveu du plagiat par lequel il faudrait bien passer, je suis folle ! Mais retarder son départ, par exemple ? Il faut que le zoo l'engage. Il faut qu'elle reste avec les chimpanzés. Je serai ici et elle sera là-bas. On lui donnera du papier, un crayon. Elle écrira, je taperai. Elle inventera, je signerai. J'aurai le temps de la préparer et l'affaire sera proprement emballée.

Aurore regardait Babette, ce corps incroyable. Incroyable, pourquoi ? À cause de la tête posée dessus ? À cause de son âge ? Ou seulement parce qu'elle n'avait jamais envisagé qu'un corps pût être, dans les pleins et non dans les déliés, d'une telle beauté. Comme dans cette comptine d'enfant où l'on désigne tous les traits, son mari lui avait désigné son corps par son absence : ses seins petits, ses hanches minces, son ventre plat, ses fesses de garçon. Moi, se disait Aurore, je n'ai pas de corps et je n'ai pas de visage puisque j'ai celui d'une autre. Babette possédait un corps et avait une gueule. Elle était aussi indécente que ces vulgarités voluptueuses que l'on accrochait dans les années cinquante dans les chambres à coucher. Et de même que l'on peut s'interroger sur le choix d'un pareil nu au-dessus d'un lit conjugal, Aurore s'interrogeait sur l'homme qui avait osé mettre dans son lit le corps de Babette.

Elle regardait Babette et en était éblouie, tant de chair succulente qu'on lui avait cachée, des gros seins droits, un ventre rond et des fesses pleines, des hanches larges avec une taille qui l'étranglait au milieu comme une fourmi. Que j'aime ce corps, se disait-elle, et elle était reconnaissante à Babette de l'exposer ainsi sans pudeur. Elle aurait aimé toucher ces seins pour savoir si dans la main ils étaient lourds, et ces fesses pour éprouver leur douceur. Caresser son dos comme celui d'un grand animal, du plat de la main. Mon Dieu, se disait-elle, un être pareil existe et on me l'avait caché sous des mots répugnants. Elle avait dispensé ses caresses sans compter à des chats, des chiens, des oiseaux et des hommes... Et elle pensait qu'elle n'avait jamais caressé un homme par plaisir. Non, à cet instant, elle en était sûre, elle avait rarement eu envie de caresser un homme, ni son visage, ni sa bouche, ni son torse, ni ses fesses, ni ses cuisses — ce qu'elle avait fait pourtant avec une grande application, la main un peu méfiante.

— Tiens, qu'est-ce que c'est ça ? demanda Babette en désignant la boîte en plastique où la bête avait repris son bruyant manège.

— Un rat, répondit Gloria en la défiant.

Babette ajusta ses lunettes et se rapprocha : — Pourquoi dis-tu un rat, c'est une gerboise, il y en avait en Algérie. Rat ou gerboise, Gloria ne voyait pas la différence.

— Si, continuait Babette, si tu dis rat, tu es dans le dégoût, si tu dis gerboise, en plus de lui reconnaître son identité, tu annonces que tu possèdes un kangourou miniature.

Gloria monta sur ses grands chevaux. Elle disait rat parce qu'elle appelait rat un rat. Elle n'avait que faire de la gerboise algérienne de Babette ou de la titi-mouse que le marchand lui avait refilée sous prétexte que tous les enfants désiraient maintenant une titi-mouse. C'était un rat et même un rat sacrément moche, avec une vilaine queue. Elle en avait par-dessus la tête de Babette et de sa censure qui portait sur chaque mot. Elle en avait sa claque de cette époque monstrueuse qui lynchait, qui empoisonnait, qui massacrait, mais qui faisait soigneusement le ménage des mots crus et qui aseptisait la langue pour n'adopter qu'un vocabulaire de marketing.

— Assez, assez, gémit Babette.

— Dans le monde, continua Gloria, nous avons dix rats par personne. Bientôt nous en aurons cent ; et dans le futur, lorsque le mot n'existera plus, nous aurons mille rats pour contrôler chacun d'entre nous. Nous en serons les esclaves et nous les appellerons Maîtres faute de les nommer Rats.

— Assez, assez, répéta Babette.

— Non mais, rugit Gloria. Tu arrêtes de me dire de me taire ! Je suis encore chez moi, ici, dans ma cuisine, non ? J'ai encore le droit de faire ce que je veux, de dire ce que je veux. Et elle continua, comme si de rien n'était, à parler de cette société qui n'osait plus s'exprimer qu'en mettant des guillemets de peur d'avoir à assumer une pensée trop forte, une idée trop précise, des mots trop concrets. Elle se promenait à travers la pièce, bras écartés et index dressés, en se balançant comme une grosse mouette grise.

— ... Il n'y a plus un étudiant qui prenne la parole sans s'excuser par avance avec ses deux index ; il n'y a plus un intellectuel qui affirme quoi que ce soit à la télévision sans adresser aux téléspectateurs le signe magique de son désengagement, et Gloria crochetait l'air d'un geste où Aurore, médusée, reconnut l'interprétation mécanique des guillemets.

— Tu aurais bien besoin d'en mettre quelques-uns dans ta vie et dans tes travaux, répliqua froidement Babette en crochetant à son tour l'espace de part et d'autre de sa tête tuméfiée, si tu vois ce que je veux dire... Et devant Gloria soudain réduite au silence, elle remarqua : Il ne va pas bien ton rat. Tu lui as donné à boire ?

— Zut, dit Gloria en constatant que l'abreuvoir était vide.

Elle se dirigea vivement vers l'évier d'où Aurore, qui s'était approchée de la fenêtre, regardait la rue. Il y avait un grand mouvement de voitures devant la chapelle baptiste. Des hommes remplissaient la piscine gonflable et fixaient sur l'herbe une moquette de faux gazon. Leurs gestes étincelaient dans la lumière comme s'ils avaient semé, çà et là, des grains de soleil.

— C'est la messe, expliqua Gloria en remplissant la baignoire du rat.

Le téléphone sonna et Aurore broncha. La vie lui semblait se dérouler en vase clos au cœur de ce pays énorme, dans cette université magnifique et surtout dans cette maison refermée qui n'ouvrait qu'un œil sur la rue, la fenêtre au-dessus de l'évier, engoncée dans ses rideaux de nylon volanté, avec des bouillonnés resserrés de petits nœuds. Qui peut m'atteindre ici ? Quelle urgence, quel malheur auraient pu pénétrer ces couches de protection qui étouffaient tous les bruits du monde, et particulièrement ceux d'une France qui vue d'ici n'existait plus. Elle repensa au zoo. Enfin ! se dit-elle.

— C'est Horatio, fit Gloria à l'adresse de Babette qui refusa si énergiquement de prendre le combiné qu'Aurore pensa un instant qu'il s'agissait de l'Aviateur avant de se rappeler qu'Horatio était le secrétaire de Babette. Il s'ensuivit une conversation indirecte où Babette s'exprimait à l'adresse de Gloria par signes d'autant plus rapides et énervés qu'elle avait ce matin-là un lourd contentieux avec son secrétaire.

— Il faut que tu sois devant la maison à onze heures pile, traduisait Gloria qui continuait en suivant Babette des yeux... pour l'avion de midi c'est la dernière limite... Non, elle n'enregistrera pas ses bagages... N'oublie pas que c'est toi qui as son ordinateur.... Si, si, c'est toi et les dossiers aussi... Non, il n'est pas question de mettre les dossiers aux bagages, elle n'a pas de double... Eh bien ! tu te les coltineras. Si elle va bien ? Tu verras ça toi-même. Elle ne te salue pas ! Et puis changeant de ton, de mutine et décontractée devenant brusquement autoritaire : — Passe-moi L'AUTRE ! — Quel autre ? — Mais Babilou, voyons, comme si je ne savais pas qu'il avait passé la nuit avec toi ! — IL DORT ! — Eh bien, réveille-le !

— Il dort, dit-elle en s'adressant aux autres femmes dans la cuisine, il dort, répétait-elle en meublant le silence tout le temps qu'Horatio passait à réveiller Babilou, à le convaincre de venir parler à la Patronne, lui expliquant que si elle devait l'engueuler, il valait mieux que ce soit par téléphone, qu'il pourrait, si elle criait trop, écarter l'écouteur de son oreille pour la laisser récriminer dans le vide. Putain, j'en ai ma claque de cette mémé, gémit Babilou en prenant le combiné.

— Cette pourriture dort alors qu'il devrait être en train de raccompagner les Canadiennes à l'aéroport, maugréait Gloria. Elle avait pris son air de fouine agressive, les yeux étrécis de haine, le menton contracté, la bouche serrée. Son corps massif se balançait d'un pied sur l'autre : Il me dégoûte, il me dégoûte, commentait-elle.

— Bonne fête, susurra Babilou dans le téléphone en

se faisant la voix joyeuse : Bonne fête, Christ est ressuscité !

Gloria vira à l'aubergine.

Après chaque colloque, Gloria et Babilou frôlaient la rupture : c'était le résultat d'une tension croissante due en partie au fait que Babilou profitait du colloque de Middleway pour se livrer aux excès d'une sexualité compulsive avec tout ce qu'un pareil rassemblement drainait, autour de femmes mûres et puissantes, de jeunes gens aimables. Il faisait de la grand-messe féministe une fête du sexe mâle, apportant autant de plaisir, de drôlerie et de gentillesse dans ses exercices amoureux qu'il y avait en face de sérieux, de componction et de puritanisme. Finalement, le colloque avait deux faces, Gloria conduisait la représentation In, mais les exercices Out de Babilou étaient plus amusants.

C'est alors qu'elle se trouvait en consultation chez sa gynécologue, les pieds coincés dans les étriers et le spéculum fiché dans le corps, que Gloria avait entendu parler pour la première fois de Babilou. La gynécologue se plaignait que son fils, après avoir entrepris des études d'architecture chinoise et de musique islandaise, voulût se mettre au français. Gloria sentait au ton du médecin que le français représentait sinon une véritable déchéance par rapport aux deux matières précitées, en tout cas une cause de désolation maternelle, le signe enfin accepté que son fils n'était qu'un bon à rien. Couchée sur le dos, les jambes en l'air, Gloria se mit à défendre le français avec une telle passion que la gynécologue en proie au doute cessa de regarder dans son colposcope pour fixer le visage de Gloria dont elle contestait l'argumentaire.

— Et les *feminine studies* ? demanda Gloria en faisant un effort pour redresser le haut de son corps.

— Bof, fit la gynéco en replongeant vers le colposcope.

— Et la francophonie ? jeta Gloria en se laissant lourdement retomber sur la table d'examen. Contesterait-elle encore que le français n'était pas une matière d'avenir !

— Si vous le dites, concéda la gynécologue.

— Vous ne pourriez pas le retirer, demanda Gloria en désignant le spéculum.

— Où avais-je la tête ? s'excusa la gynéco.

En quelque sorte, Gloria avait accouché ce jour-là de Babilou.

Dire qu'elle fut ravie quand le nabot blondasse qui répondait au surnom de Babilou et se recommandait de la gynéco se présenta dans son bureau serait exagéré. Elle se fit la réflexion que les homosexuels n'étaient pas tous beaux, opinion reçue qu'elle n'avait jamais mise en doute. Liant la beauté d'un homme à une homosexualité intrinsèque, elle avait écarté de son chemin amoureux tous les hommes qui lui plaisaient vraiment pour se fixer raisonnablement sur la médiocrité esthétique du Machiniste. Son animosité à l'égard de Babilou commença avec sa déception et s'amplifia quand elle se rendit compte que l'âme ou le cœur, supposés dans ses théories primaires compenser les défauts physiques, les accompagnaient au contraire dans cette figure de style que l'on nomme redondance. Babilou était encore plus moche moralement que physiquement. Elle avait installé un ennemi dans son bureau, mais au lieu de s'en débarrasser sans plus attendre elle l'utilisait à attiser cette colère latente qui était le moteur de son activité. Elle s'irritait constamment contre Babilou, le réduisait à un esclavage auquel il se prêtait en apparence et relâchait par contrecoup son autorité sur ses autres collaborateurs.

Il devint un secrétaire très particulier, son homme à tout faire. Ce fut lui qui donna ses premières leçons de conduite à Chrystal et la gynéco paya une aile neuve à la Cadillac de son fils. C'était lui qui allait porter au pressing les nippes de la Patronne, chercher du fried chicken quand elle avait une fringale pendant son régime, arroser ses misérables plantes vertes, donner à manger et à boire au rat dont personne ne se souciait plus et nettoyer la camionnette du Machiniste entre deux déménagements.

Depuis quelques semaines, il traduisait avec un traitement de texte ad hoc des extraits d'un roman d'Aurore que Gloria avait soulignés de jaune fluo. Il détestait ce travail de mot à mot, qu'il tapait de l'index, lettre à lettre. Ses yeux pleuraient devant un écran si mauvais qu'il accomplissait son pensum de nuit pour en faire chaque matin une livraison. Gloria le trouvait à son réveil sur son propre écran : Splatch ! Have a good day.

Officiellement, il s'agissait de donner, en la compressant en fragments, un aperçu de l'œuvre d'Aurore Amer aux étudiants du groupe des *feminine studies.* Mais en utilisant le code secret de l'ordinateur de la Patronne, comme il aurait ouvert autrefois un tiroir après en avoir subtilisé la clef, Babilou avait découvert que sa traduction était en train de nourrir le futur roman de Gloria Patter, *African Woman.* Splatch !

Vu la lenteur et l'irrégularité de ses travaux de traduction, le roman était à peine construit. Il s'en dégageait cependant une trame : native d'un village africain, le Village-Modèle, une jeune fille découvrait dans un bordel tenu par Reine Mab la vie de Port-Banane.

Il avait aussitôt téléphoné à Horatio à Missing H. University pour l'informer de la magouille en cours.

— NON ? avait fait Horatio, avec ce ton qui donnait toujours envie de lui en dire plus.

— SI ! avait rétorqué Babilou, c'est un truc énorme !

Horatio était allé trouver Babette. Il avait attendu que tous les visiteurs soient partis, il avait fermé la porte, s'était assis en face d'elle et lui avait demandé si elle savait que Gloria écrivait un roman.

— Un roman ! s'était exclamée Babette comme si on la poignardait dans le dos. Dans sa compétition avec Gloria, il y avait une chose dont elle était sûre, c'est que l'autre n'écrirait jamais. Tout juste capable de jouer avec le clavier, d'envoyer des messages sur le web au monde entier, de transférer des dossiers, mais la tête vide. Si quelqu'un devait écrire un roman, ce serait elle, elle avait des idées à ne savoir qu'en faire.

— Oui, avait continué Horatio, il s'appellera *African Woman* !

— Elle ne connaît pas l'Afrique ! interrompit Babette.

— Qu'importe ! Horatio lui révéla le pot aux roses : Babilou traduisait Aurore Amer par fragments, Gloria ajustait, trafiquait, suturait, enlevait un mot par-ci, remplaçait un nom par-là.

— C'est un plagiat ! dit Babette

— Ce n'est pas moi qui le dis, fit remarquer Horatio, voulant dégager sa responsabilité.

— Mais c'est grave, continua Babette. Il faut prendre nos distances. Tout le colloque va être touché et je ne veux pas perdre ma réputation...

Babette demanda si le roman était très avancé. Non, avait rétorqué Horatio, enfin, si l'on en croyait Babilou, il n'était encore qu'une compilation de citations plus ou moins bien traduites. Alors, je vais lui parler, avait dit Babette. Il faut que j'aie une discussion avec elle.

Babette appela Gloria et Gloria fit semblant de ne pas comprendre. Il n'était pas facile de dire que son code secret avait été forcé, que Babilou avait prévenu Horatio mais que ni l'un ni l'autre ne voulaient apparaître dans l'affaire. Et alors ! dit brutalement Gloria, il s'agit de faire un abrégé en américain pour les étudiants qui ne veulent plus lire. Elle ne voyait pas ce qu'il y avait de répréhensible à vouloir faire connaître Aurore Amer à un large public. *African Woman* n'était qu'un nom de dossier et l'affaire était close.

Babette, qui en avait fait avouer plus d'un, reprit la discussion. Elle voulait être sûre qu'Aurore Amer était partie prenante dans l'affaire. Gloria s'irrita, elle lui parla successivement d'intertextualité et d'oralité, elle lui dit que la littérature n'appartenait qu'au lecteur comme la langue à celui qui la parle, qu'on ne pouvait plus rester le cul serré sur des copyrights d'un autre temps, que si Babette voulait parler de plagiat, tout le monde plagiait tout le monde !

Le ton était monté si haut que Babette dut écarter l'écouteur, et qu'Horatio qui marchait de long en large devant elle quitta la pièce. Gloria s'emportait : Qui plagie quoi, qui plagie qui ? Ces Blancs qui volent mon Afrique, qui pillent ma terre, qui prennent mes arbres, mon ciel ou moi, fille d'esclaves enlevés, enchaînés, battus, violés, humiliés, baptisés, que l'on a privée de ses racines ? Ça ne leur a pas suffi d'avoir colonisé nos pays, maintenant ils en font des livres !

— Je croyais que tu aimais Aurore !

— Ce que j'aime, moi, c'est l'Afrique et Babette entendit des larmes dans la voix de Gloria.

Alors elles parlèrent d'autre chose, de leurs secrétaires qu'elles croyaient ennemis et qui se téléphonaient la nuit les secrets de leurs ordinateurs.

— Je le fous à la porte et je lui colle un procès, menaçait Gloria en se resservant du café. Elle se demandait si elle n'en avait pas déjà trop bu.

— Tu le vides, intervint Babette qui en avait gros sur le cœur, mais après tu es obligée d'en engager un autre. Tu ne vas pas prendre une fille tout de même... et les garçons sont tous comme ça ! Elle parlait d'expérience.

Horatio, en apparence parfait, lui faisait subir l'enfer chaque fois qu'ils se rendaient à un colloque. Elle le rassurait trois mois à l'avance sur le sujet de sa communication : il l'avait bien choisi, il était intéressant. Elle lisait le brouillon, le corrigeait, mais pas trop parce que, sinon, il se remettait à douter, il désespérait, mais elle corrigeait quand même pour lui montrer qu'elle s'intéressait à lui. Un peu de crayon, PAS DE ROUGE, un crayon léger, une page sur deux, en n'oubliant pas de laisser des grands morceaux sans rien pour saluer l'excellence. Enfin, il lui donnait à réviser la dactylographie, parce que lui ne tapait pas, besoin de créer une distance avec son texte. Il le faisait dactylographier aux frais du département en mobilisant toutes les secrétaires. Pendant trois jours, elles mettaient leurs longs ongles rouges au service de ce cher Horatio.

Elle passait sur le voyage, il était très anxieux, il mâchouillait du chewing-gum contre les caries, il prenait grand soin de ses dents magnifiques. Elle ne s'occupait que de lui et pourtant elle avait prévu d'écrire sa propre communication dans l'avion. À l'atterrissage, elle n'avait toujours rien fait si ce n'est parler d'Horatio à Horatio, de la conférence d'Horatio, de la carrière d'Horatio. Il disait que cela allait mal se passer, il le sentait ! D'ailleurs sa réussite, il ne la devait qu'à elle. Si elle le laissait tomber, il n'existerait plus.

Elle n'avait qu'un sac, mais il fallait attendre sa valise à lui, c'était long. Il lui expliquait qu'il avait horreur des vêtements fripés ; elle le prenait comme un reproche, elle ne se sentait pas nette, heureusement le vison camouflait le chemisier froissé et la jupe pochée. Il s'accrochait à son bras, il caressait sa manche : il adorait la fourrure.

À l'hôtel, il faisait irruption dans la chambre où elle essayait désespérément de rassembler deux idées qui se tiennent et qu'elle n'avait déjà plus le temps de mettre sur le papier. Il y avait une erreur de pagination dans son texte. IL FAUT que vous fassiez quelque chose ! Elle exposait à la même table ronde, room 208, où elle l'avait fait inscrire et elle n'avait plus qu'une heure pour aboutir à une réflexion qui justifiât deux heures d'avion, le remplacement de ses cours et un hôtel à deux cents dollars, prix congrès. Il était dit qu'elle n'y arriverait pas. Elle faisait bonne figure mais il se plaignait : — Vous ne m'écoutez pas ! — Si, je vous écoute ! — Vous voyez comme vous me répondez ! Elle s'excusait, la fatigue du voyage. Elle ne disait rien de sa communication à peine ébauchée.

Il exposait, il était brillant, charmeur et avec ça si élégant. Il accrochait tous les regards. À la fin de la séance, il avait deux propositions d'engagement et des meilleures universités. Quand venait son tour, elle se sentait minable avec son chemisier froissé. Elle n'avait pu garder son vison sur les épaules car dans l'ascenseur une congressiste lui avait demandé avec aigreur pourquoi elle cautionnait le massacre des bêtes sauvages.

Pour le reste, c'est-à-dire l'essentiel, elle se débrouillait avec de vieilles ficelles que tous ceux qui l'écoutaient avaient déjà utilisées. Ils ricanaient. Horatio, lui, était scandalisé, il la trouvait mauvaise, d'autant plus mauvaise qu'il avait été excellent. Elle se rabattait sur l'anecdote et elle arrachait quelques rires lourds. Horatio ne riait pas et elle avait honte, honte devant lui. Discrets applaudissements, mais Horatio restait figé, intègre jusqu'au bout, pas un gramme de charité.

Elle se retrouvait comme une méduse échouée dans les velours et les ors du palace de pacotille. En venant ici elle ne s'était pas fait du bien. Elle avait envie de partir, de sortir dîner tout au moins, voir autre chose. Horatio connaissait des adresses. Mais il ne pouvait pas l'accompagner, il faisait visiter la ville au Grand Shakespearien qui était venu le féliciter après son exposé et qui l'invitait à Londres. Horatio ne repartirait pas avec elle et en guise d'adieu il lui signalait qu'il valait mieux qu'elle ne s'affichât pas dans cette ville avec un vison sur le dos...

C'est vrai ! c'est vrai... Gloria hurlait de rire en reposant sa tasse vide. Babilou ferait tout ça s'il n'était pas aussi nul. Il avait fait croire au Grand Oracle, elle désignait du doigt la photographie accrochée sur le mur, qu'il était le responsable artistique de l'université et qu'il allait monter une de ses pièces. Il l'avait baladé dans sa Cadillac en lui racontant des foutaises. Le Grand Oracle avait chopé le mal de mer. Soudain Babilou avait arrêté sa voiture dans un endroit isolé et, ayant condamné les portes, il avait mitraillé le vieil homme à bout portant d'une série de flashes qui l'avaient pratiquement rendu aveugle. Il s'était plaint par la suite qu'on lui avait brûlé la rétine. Pendant de longs mois il n'était apparu en public qu'avec des lunettes noires et une canne blanche. Il avait mis Middleway sur sa liste noire, accusant cette université de l'avoir interrompu dans un travail capital et, ce faisant, de lui avoir fait manquer le Nobel. Rien que des coups tordus, Babilou, des coups tordus...

L'homosexualité n'était pas pour Aurore une affaire ordinaire, grossière et truculente. Elle en portait une blessure intime, inavouée depuis qu'une nuit, à Berlin-Est où elle était allée visiter le magnifique jardin zoologique, le diplomate français qui la raccompagnait à son hôtel avait évoqué devant elle ce mari dont elle était séparée depuis si longtemps. Comme ils passaient en revue les carrières des uns et des autres, la conversation était venue par hasard sur lui : En Indonésie, il a TOURNÉ PÉDÉ, avait commenté le diplomate, il s'est mis avec des locaux ; le coup du joli maître d'hôtel que l'on ramène en France ! Il se tourna vers elle : Il a balancé Bobonne !

Bobonne, c'était elle. On était en hiver, il faisait nuit noire, et c'était bien qu'il fît nuit et qu'on fût encore derrière le rideau de fer. Elle laisserait ces révélations dans la bouche du diplomate, qui au passage lui avait proposé de monter dans sa chambre pour prendre un dernier verre...

Elle n'était pas comme Gloria ou Babette. Ni Babilou ni Horatio ne la faisaient sourire. Ils lui glaçaient le cœur comme tous ceux qui ne l'aimaient pas, la refusaient ou la détestaient. Ils rouvraient les blessures laissées par son mari lorsqu'il lui avait renvoyé, prélude à son départ définitif, toutes les lettres qu'elle lui avait écrites. Il les avait déchirées. Quand elle avait ouvert la grosse enveloppe qui les contenait, elles s'étaient répandues en une pluie de confettis.

Horatio était revenu d'Angleterre plus vite que Babette ne s'y attendait. L'ayant cru perdu, elle avait mis dans sa place encore chaude une fille qu'il détestait. Elle ne voulait plus s'attacher : travail-travail, un point c'est tout !

Horatio ne s'était pas plu à Londres et Babette ne l'interrogea pas sur sa relation avec le Grand Shakespearien qui n'avait pas mis trois mois pour foirer. Sans un mot il repartit au bas de l'échelle des assistants pour se retrouver la même année dans le bureau de Babette, sombre, beau et boudeur, aussi indispensable à sa vie intellectuelle que l'Aviateur l'était à sa vie amoureuse.

Avec lui, elle discutait vraiment de ce qui l'intéressait, très tôt le matin devant leurs tasses de café qu'ils prenaient en tête à tête. Le département marchait sur des roulettes. Ils avaient fait ensemble le bilan de l'année de la littérature et de la civilisation européennes : 4 étudiants encore en études shakespeariennes, 15 en *feminine studies*, 22 en vocabulaire de la cuisine provençale. Ça roule ! avait constaté Babette, c'est bon pour Shakespeare. Ils parlaient d'Horatio bien sûr, mais aussi de leur cher Shakespeare qu'ils citaient dans un anglais impeccable, en accentuant théâtralement sa rondeur tonique.

Dans son malheur, il lui restait Horatio. Il l'avait aidée, comme on couvre une malade, à enfiler son vison pour venir à Middleway. À l'aéroport il était allé lui acheter un collyre. Pour descendre la passerelle, il lui avait tenu la main et puis hier soir, il était parti avec Babilou. Si Babette avait admis que le Grand Shakespearien, avec sa gueule enfarinée, ses cheveux teints, et le bord des yeux rouge brûlé aux lumières des quinquets, ait pu exercer un attrait sur Horatio — elle-même y avait été sensible —, elle trouvait insupportable qu'Horatio se fût entiché d'un pauvre gigolo qui intellectuellement ne lui arrivait pas à la cheville et qui n'était même pas beau. Mais qu'est-ce qu'il lui a pris ? C'était comme si elle avait été abandonnée une seconde fois : d'abord l'Aviateur, ensuite Horatio, qui après ? Mais qu'est-ce qu'ils ont les bonshommes ?

Histoire de fêter la fin du colloque, Babilou les avait conduites au Blue-Bar, une sorte d'étable sur la route de l'Ouest : des Noirs gigantesques et un rouquin énorme près d'un billard. Les colosses qui s'étaient réunis ici pour boire une dernière bière avant de reprendre la route étaient les répliques humaines des camions monstrueux qui stationnaient sur l'immense parking. Gloria claqua des doigts, marquant le tempo d'une musique connue, et Babilou l'entraîna sur un bout de piste. Ils se contorsionnaient, lui petit et mobile comme un criquet, elle lourde et épaisse. Babette les rejoignit, les séparant, dansant avec l'un, avec l'autre, bougeant le bassin dans une danse nuptiale pour attirer le criquet qui préférait sauter ailleurs. Lola Dhol restait plantée sur la piste comme si elle cherchait à retrouver son équilibre. Horatio prit l'actrice dans ses bras et posa la joue contre son visage.

— Viens, appelaient-ils en direction d'Aurore qui se défendait en dénégations muettes de savoir danser.

— Ça ne fait rien, hurlait Gloria, fais comme nous, on improvise.

Aurore se leva à contrecœur. Son corps raide refusait d'avancer. Elle se trouvait dans l'alternative désagréable d'être obligée de danser pour ne pas attirer l'attention mais ne pouvant bouger, de se faire d'autant plus remarquer. De la tête, elle marquait à contretemps la mesure d'une musique si forte qu'elle ne l'entendait plus. Un des types du bar, croyant qu'elle exprimait son envie de danser et qu'elle n'osait pas, voulut la conduire sur la piste. Elle résista. Il lui serra si fort le bout des doigts qu'ils en devinrent bleus.

Elle n'irait pas avec les autres, qui secouaient leur chair, à sentir trembler comme elles ses joues, son ventre, ses seins, elle n'irait pas. Le type mit une jambe entre les siennes pour la faire céder. Elle chancela, elle allait tomber. Avoir si peu en commun avec un être humain ! Faute d'un minimum de langage, devoir lutter pied à pied ! Elle se retenait de toutes ses forces au plateau de la table en bois alors que lui, faisant fi de ses articulations livides, s'employait à la déséquilibrer.

Aurore avait vu une fille se faire violer encore plus facilement dans une boîte de Tōkyō, sur la piste de danse, au milieu des couples qui dansaient un paso doble. Le type avec lequel elle était l'avait jetée sur le parquet. En deux temps trois mouvements, l'affaire fut faite. Écrasée sur le plancher dans son gros jupon de tulle, la fille gesticulait comme une mouche agonisante. Maintenant, c'est sûr, il va me gifler, se disait Aurore, en s'accroupissant pour échapper au jeu de jambes de son adversaire, il va m'envoyer une de ces énormes gifles qui mettent la tête à l'envers. Elle se mit à hurler : Non, non, non !

Les autres revenaient et le type la quitta brutalement. Elles étaient rouges et suantes, elles étouffaient. Elles remarquèrent la pâleur d'Aurore : — Bois ! Elles lui tendirent une bouteille de bière. Aurore porta le goulot à ses lèvres, sachant qu'elle ne pourrait pas aller plus loin que la première gorgée, que la bière âcre lui donnerait la nausée et que la mousse allait lui couler sur le menton. Tu préfères un whisky ? demanda Lola.

Aurore renversa la tête et vida sa bière. Elle en demanda une autre. Voilà Aurore qui S'ÉCLATE ! dit Babette avec la satisfaction sale de voir que celle que l'on croyait différente était faite de la même chair que soi. Aurore buvait et les filles applaudissaient. Elles disaient que cela leur faisait plaisir de la voir s'amuser. S'amuser ? Elle mourait. Je me noie, se disait-elle, et l'alcool étouffait un peu la musique.

Elles étaient toutes les quatre serrées dans leur stalle de bois sous le regard des clients. Le rouquin fit des gestes obscènes avec sa queue de billard : — Tu veux ma photo ? glapit Gloria dans un patois horrible avec l'accent le plus traînant et le plus vulgaire qui soit. Aurore se disait qu'au mieux cela se passerait entre « pauvre meuf » et « gros con », au pis entre « sale négresse » et « mâle blanc ». Irréparable violence.

— Mais vous voyez ce que je vois ! s'exclama Gloria qui mettait entre parenthèses son altercation avec le joueur de billard. Vous voyez à quoi s'occupe notre jeunesse ? Elles se retournèrent. Babilou serrait dans ses bras le beau, l'inaccessible Horatio. Aveugles au monde, indifférents à leur présence, ils dansaient un slow tendre et langoureux, un prélude amoureux infiniment passionné.

— On m'aurait dit ça ! fit Babette. Son menton tremblait.

Gloria triomphait, Horatio était du même acabit que Babilou.

— Mais il est tellement mieux que Babilou, plaidait Babette.

— On le voit, dit Gloria, et elles regardèrent Horatio qui prenait entre ses mains la petite figure chiffonnée de Babilou pour la renverser dans un très long baiser.

— Vous savez ce que je crois ? fit Babette en se ressaisissant. On n'a pas fait les carrières que nous avons faites, on n'a pas eu les vies que nous avons eues, on n'a pas vécu les drames que nous avons vécus pour se retrouver au fin fond du Kansas à regarder deux petits cons s'envoyer en l'air. Cette piste de danse me fout le moral à l'envers, ajouta-t-elle, j'ai l'impression d'être plantée devant un énorme bac à sable où s'ébattraient tous les enfants que je n'ai pas voulus et que je devrais surveiller jusqu'à la fin du monde. L'enfer !

Elles se levèrent. C'était sans compter avec les suites de la provocation de Gloria. Le gros rouquin ne voulait pas les laisser passer. Il leur barrait la porte, il voulait ce que Lola Dhol traduisit pudiquement à Aurore par « un baiser ». La réaction de Gloria fut aussi violente et aussi rapide qu'on pouvait s'y attendre, elle menaça. Lola pouffait et Babette se mit à parler à toute vitesse comme si elle devait se vider d'une quantité de mots orduriers qu'elle n'avait pas encore eu l'occasion d'essayer et dont elle voulait savoir s'ils étaient encore valables. Gloria fonçait poings levés sur le joueur de billard.

Ça y est, les coups, se dit Aurore et elle enfonça le cou dans les épaules. Babilou ! criait Gloria vers le fond de la salle. Horatio ! hurlait Babette qui mesurait à quel point ses injures avaient gardé dans ce bar de Middleway de leur fraîcheur originelle.

Mais Babilou et Horatio ne les entendaient pas. Ils dansaient les yeux clos en se frottant le bas du ventre. Elvis-Pelvis, murmurait Aurore comme une indécence dont elle ne pouvait se déprendre et qui à cet instant envahissait tout son esprit, Elvis-Pelvis.

Babilou, Horatio, hurlait Lola la bouche distendue. Et elles étaient toutes les quatre à les appeler, à les supplier d'intervenir, alors que Gloria était en train de se débattre dans les bras du camionneur avec l'énergie d'une haine qui, à ce moment, englobait l'Amérique, les hommes, les Blancs et... les pédés là-bas. Le secours vint de derrière le bar, du garçon et de deux autres clients que le spectacle n'amusait plus et qui durent à leur tour enlacer la baleine pour dégager Gloria. Elles s'enfuirent mais leurs sauveteurs les insultèrent sur le pas de la porte, pour l'honneur. Sales gouines ! Et pour l'honneur, le moteur emballé, elles firent des gestes obscènes avec leurs bras, avec leurs doigts.

— Ce petit salaud de Babilou voulait savoir si on était bien rentrées, dit Gloria à la cantonade.

— Et moi, grogna Babette, est-ce que je lui demande s'il a bien baisé ?

— Et vlan, dit Babette en saluant le bruit du téléphone que Gloria reposait. Quelqu'un veut profiter de la voiture pour aller à l'aéroport ?

Aurore avait oublié que le départ était si proche, il lui semblait qu'elle avait encore le long printemps qui s'éveillait devant elle. Elle se demandait même si elle avait envie de repartir. Où qu'elle se posât, elle avait l'obsession de chercher à y rester. Elle l'avait souhaité à New Delhi dans un foyer pour intellectuels internationaux où l'on pouvait boire à n'importe quelle heure du jour et de la nuit un thé très noir qu'elle sucrait avec une gelée de roses. Sa chambre donnait sur un jardin public où piaillaient des troupes de perroquets verts. Elle s'était éprise de l'Inde parce que sur la route de l'aéroport un taureau noir s'était couché sur le bitume, et qu'un grand chameau qui portait son bât sur son front comme une couronne avait traversé la voie de son pas tranquille et majestueux. Elle s'était assise dans l'herbe de Victoria Avenue pour contempler les singes dressés qui avec un pistolet en plastique et un chiffon de brocart jouaient, aussi mécaniquement que des marionnettes, *La Belle au bois dormant.*

Elle était comme ici, entre femmes, avec des Occidentales, journalistes, fonctionnaires de la culture, toutes plus ou moins désespérées, qui s'étaient exilées par chagrin d'amour. Elles ressassaient entre elles une solitude qu'elles voulaient rompre à tout prix, cherchant à se convaincre qu'elles étaient assez jeunes encore pour rencontrer l'amour, recommencer leur vie. Elles étaient pressées, démunies et malhabiles, prêtes à jouir sur-le-champ d'une liberté recouvrée qu'elles ne trouvaient pas à employer. Elles se demandaient où étaient passés les hommes.

Il y avait quelque chose de fascinant pour Aurore à voir ces femmes, qui avaient fait des carrières exemplaires, renier tout ce qu'elles avaient acquis à la force du poignet pour envier le sort de celles qu'elles avaient méprisées autrefois lorsqu'elles avaient interrompu leurs études pour se marier. Elles les imaginaient qui trônaient maintenant au cœur d'une grande famille mais elles ignoraient leur désenchantement, le sentiment de perte et d'inaccompli de leurs existences. Ah ! des enfants, avoir des enfants, disaient-elles. L'enfant était le dernier rempart contre la solitude.

Un soir, Aurore avait été raccompagnée par une conseillère commerciale qui conduisant sa voiture aussi brutalement qu'à Paris, avait pilé derrière ce qui leur était apparu comme un camion sans feux. Aurore avait vu se dessiner dans la nuit l'arrière-train carré d'un énorme éléphant et elle avait su qu'elle voulait entrer dans le ventre de la ville, monter à titre d'humaine dans cette gigantesque arche de Noé où les hommes qui étaient déjà en surnombre s'accrochaient aux fenêtres, aux échelles et grimpaient sur les toits qu'ils disputaient aux singes.

Dans un genre plus cosy, dans son opulence rose, Middleway, ce petit Oxford américain, eût pu représenter pour Aurore une autre forme de cette arche de Noé où elle souhaitait tellement embarquer. Elle s'était surprise la veille en visitant le zoo à envier les occupants des cages, que l'on appelait des espaces de vie. Elles étaient grandes, spacieuses, protégées par des vitres épaisses et non plus par des grilles comme en Europe. Si on lui avait fait une petite place, elle se serait volontiers glissée entre chimpanzés et orangs-outangs. C'était une manie qu'elle avait depuis l'enfance de ne visiter aucun endroit sans s'y faire mentalement sa place ni de rencontrer de gens sans espérer en être adoptée. Tante Mimi avait surpris ce manège. Elle y voyait un esprit calculateur qui la sortirait toujours d'affaire, mais qui l'avait, les gens prenant tout au pied de la lettre, conduite de chambre d'enfant en chambre d'enfant : Vous y serez bien pour écrire ! Mais qui a jamais écrit dans une chambre d'enfant ? Quelle œuvre en est jamais sortie ?

La maison d'Aurore n'avait jamais été reconstruite. Elle cherchait toujours le lieu où, si elle en avait eu l'énergie, elle l'aurait érigée, pour écrire, disait-elle aussitôt comme une garantie. Quand elle abordait des pays inconnus, des côtes nouvelles, et que l'avion descendait, elle repérait un isthme dont elle voulait occuper l'extrême pointe sans abîmer le paysage ; une île dans cet archipel, mais la plus petite, un caillou dénudé où personne ne va jamais ; ces grandes fermes en ruine du Pays basque, le toit crevé de ronces et la façade balafrée ; la maison que les gardiens n'occupent plus au fond du parc, la vraie petite maison gardienne avec une porte étroite pour seule fenêtre et un bout de jardin.

Juste avant de partir pour Middleway, elle avait proposé à des amis qui ne s'en servaient plus d'acheter leur appentis de jardin, une cabane posée sur de la terre battue pour ranger les râteaux mais dans un très beau parc avec une belle treille qui l'été pourrait lui servir de bureau. Elle avait senti leur gêne à l'idée qu'à partir de cet embryon de maison, elle voulût s'agrandir. Ils avaient mesuré à la lumière de cette épreuve que l'amitié qu'ils éprouvaient pour Aurore ne dépassait pas le plaisir de la recevoir trois fois par an à dîner. La voir le printemps, l'été, l'automne, et peut-être l'hiver avec un poêle à bois — car la race de ces crevards d'écrivains est résistante — leur était tout à fait insupportable : Allons, Aurore, il vous faut un château ! Il lui fallait une cage vite fait, une cage à singe ou toute autre au zoo de Middleway.

À Paris, elle vivait dans un trou à rats que le Médecin dont elle partageait occasionnellement la vie appelait pompeusement son atelier. Ce n'était qu'un petit studio, tout ce qui lui restait de son mari. Il était situé si près de la Seine que l'humidité décollait la moquette, cloquait la peinture, lui coinçait l'épaule, le coude et le poignet au-dessus de ses feuillets qui gondolaient comme si elle les avait rincés avec sa sueur et ses larmes. Néanmoins elle tenait à y vivre et le Médecin lui accordait ce droit qui ménageait sa liberté, une petite reconnaissance à la vie d'artiste.

Il n'y avait rien que l'indispensable, des ampoules nues, des murs blancs ; une table, une chaise, un matelas et une baignoire posés sur un bout de moquette. UNE CELLULE DE MOINE avait remarqué Gloria qui l'y avait débusquée en se précipitant sur tous les lieux communs et les images éculées qu'elle savourait avec la délectation d'une étrangère qui a appris la langue à grosses goulées et qui désire que la réalité y colle envers et contre tout. Avec un abat-jour, elle aurait sans doute parlé de BONBONNIÈRE, se disait Aurore ; avec un pot de fleurs devant la fenêtre, elle aurait, c'est sûr, évoqué MIMI PINSON.

Gloria avait réussi à s'introduire dans un endroit où Aurore ne recevait personne, refusant d'y donner rendez-vous, se précipitant à la rencontre de ceux qui sonnaient en criant depuis le palier : Je descends ! bloquant dans l'escalier l'irrésistible progression des indésirables. Elle pouvait, quand elle ne voyageait pas, rester de longues heures couchée sur le matelas, les yeux sur les auréoles du plafond ; ou dans sa baignoire à attendre que la buée de l'eau très chaude se dissipe en s'accrochant en fines gouttelettes qui ruisselaient le long des murs écaillés ; à la fenêtre d'où elle regardait le mur d'en face, qui n'était qu'à deux mètres, sculpté par des décennies de crottes de pigeon, des figures épouvantables que la fiente acide avait creusées dans la pierre, des magmas d'immondices que la moindre aspérité retenait et qui sur ce socle branlant s'élevaient en molles cheminées.

Lorsqu'elle avait acheté le trou avec son ex-mari, ils avaient eu le choix, dans le même immeuble, entre un rez-de-chaussée sur cour en face de la cuisine d'un bistrot spécialisé dans les frites qu'un robuste garçon confectionnait à même le sol et ce second étage face au mur aveugle d'un immeuble condamné que le vendeur avait paré de tous les agréments d'une prompte restauration qui ferait jouer le soleil sur des murs blancs. Ils achetèrent ce trou noir pour un soleil qui ne vint jamais sur un mur aveugle qui devint lépreux. Mais elle ne regretta jamais le rez-de-chaussée car le bistrot augmenta sa production de frites si bien que le matin la cour servait d'entrepôt à pommes de terre. Le soir la plaque d'égout régurgitait l'huile des frites.

À chaque nichée, contre l'avis de Leila qui soutenait les pigeons par principe, Aurore ne savait plus qu'inventer pour chasser les nouveaux occupants. C'était une conversation qu'elle avait l'habitude de lancer à la table du Médecin pour recueillir des avis qui l'aideraient. Le sujet ne laissait personne indifférent. Un fiscaliste lui raconta qu'il avait mis au point des bombes à eau qu'il faisait éclater sur un toit en contrebas qui servait de nichoir aux pigeons. Un énarque expliqua qu'à l'École il capturait les pigeons, leur enfonçait dans le trou de balle un pétard allumé et les envoyait exploser au milieu de leurs congénères. Une journaliste se rappela que son premier mari, un jeune avocat, ne revenait jamais à la maison sans passer par le jardin public où il étouffait un ou deux pigeons qu'il rapportait pour le dîner. Cela la dégoûtait, mais elle les plumait et elle les cuisinait quand même. Un toxicologue leur apprit que consommer du pigeon pendant trente jours d'affilée empoisonnait le sang plus sûrement que n'importe quel arsenic et envoyait l'époux indésirable ad patres sans laisser de traces. La journaliste resta songeuse comme devant une occasion perdue.

L'histoire du pétard avait marqué Aurore par tout ce qu'elle révélait, en plus de sa cruauté, de minutie maniaque et contrôlée. Car il faut du courage pour torturer ainsi un être vivant, lui enfoncer dans le derrière le pétard que l'on a bien été forcé de se procurer dans un magasin spécialisé. D'un bal d'étudiants en médecine, Aurore avait rapporté une sarbacane en carton doré et de petites boules multicolores. En la voyant se remplir les poches, le Médecin l'avait traitée d'enfant ! Elle tenait l'arme imparable. Elle s'était précipitée à la fenêtre et avait soufflé de toutes ses forces. Les pigeons avaient relevé la tête avec ce regard surpris et légèrement agacé que le Médecin avait jeté pendant la fête à un interne qui l'avait couvert de confettis !

Les pigeons n'auraient pas craint un revolver ou un fusil de chasse, ils savaient qu'ils étaient protégés par l'espace étroit qui les séparait du studio d'Aurore. Mieux, depuis deux ou trois ans, ils avaient décidé d'investir la fenêtre contre laquelle elle appuyait son épaule droite quand elle écrivait. Elle avait beau les menacer, pris dans leur incessant roucoulement ils ne bougeaient pas. Ils ne répondaient pas non plus au geste qu'elle leur adressait pour les chasser et qui maintenant relevait du tic : lever la main armée du porte-plume avant de le plonger dans l'encrier pour taper contre la vitre. Ils ne bougeaient que lorsqu'elle ouvrait la fenêtre, attendant pour jouer les terrifiés qu'elle fût vraiment debout et qu'elle s'acharnât sur l'espagnolette.

Ils lui connaissaient des habitudes qu'elle ne soupçonnait pas. Ils savaient qu'elle partait en voyage, leur abandonnant pendant plusieurs jours le rebord de la fenêtre, avant qu'elle ne le sût elle-même. Ils prenaient alors des poses avantageuses, des mines glorieuses, en passant plus gonflés que de coutume devant la vitre. Et si on tardait à venir la chercher, ils montraient de l'impatience et grattaient avec colère dans les rigoles bien entamées du mur d'en face. Au coup de sonnette qui prévenait que l'on était enfin arrivé, et qui déclenchait sa ruée vers la porte pour empêcher qui que ce soit d'aller plus loin, ils décollaient ; elle n'était pas sur le palier qu'ils se perchaient. Elle restait dans l'entrebâillement, prise entre le désir de revenir les chasser et l'envie de prévenir l'indiscrétion du visiteur qui commençait la raide ascension de l'escalier. Je descends, criait-elle, elle partait. Ils copulaient.

Ils la reluquaient quand elle prenait son bain, ce qu'elle faisait deux ou trois fois par jour quand elle se sentait mal et qui contribuait fortement au décollement de la moquette. Le matin, elle ouvrait les yeux sous leur regard rouge. Ils savaient qu'elle ne sortirait jamais du bain ou du lit pour venir les chasser : trop molle, trop flemmarde, trop fatiguée, ils la méprisaient. Elle fermait les yeux pour ne plus les voir, parfois elle se mettait aussi les doigts dans les oreilles pour faire cesser les roucoulements. Elle espérait des hivers rigoureux qui les gèleraient, des étés torrides qui les dessécheraient. Ils étaient de plus en plus nombreux.

Vous ne devriez pas plaisanter avec ça, lui disait le Médecin, vous avez déjà eu une ornithose. Il la soupçonnait, tant son amour des bêtes était connu, de protéger les nids, d'aider les œufs à éclore, de nourrir les orphelins et ne voulait pas la croire quand elle affirmait qu'elle les détestait et qu'ils lui salissaient le ciel. Pourquoi ne vous installez-vous pas chez moi, proposait le Médecin qui disposait d'un grand appartement ensoleillé. Vous pourriez faire votre bureau dans la chambre des enfants.

Elle avait été hospitalisée dans son service de maladies tropicales. La première fois qu'elle le vit, il pensa, parce qu'elle revenait du Brésil, à une psittacose. Il entra dans sa chambre au milieu d'une escouade d'étudiants, il avait un long tablier blanc serré aux hanches qui l'allongeait et l'amincissait, des lunettes sur la pointe du nez, on lui disait Monsieur. Vous êtes-vous fait mordre récemment par un perroquet ? Avez-vous dormi dans une pièce où il y avait une cage avec des perruches ? Il la revit le lendemain avec deux infirmières pour lui dire qu'elle relevait d'un service de pneumologie, la psittacose exotique n'était qu'une ornithose due aux pigeons parisiens : Vous habitez rue de Seine ! Il revint plus tard : Une ornithose sur un terrain fragilisé par la vie sous les tropiques — vous voyagez beaucoup n'est-ce pas ? — justifiait qu'il la gardât encore en observation.

La maladie, étrange bien que parisienne, fut longue et pénible. Il ne partait jamais le soir sans venir lui dire au revoir, il portait des costumes en prince-de-galles, elle entendait cliqueter ses clefs dans ses poches. Il n'avait pas eu le temps de lire ses livres, mais il lui apporta le sien, *Le malade, la quinine et la fièvre*, un conte médical qui marquait d'originalité sa candidature à l'Académie de médecine. Un jour, il s'assit sur le bord du lit et à la vivacité avec laquelle elle replia les genoux, il la sentit en bonne voie de guérison. Il lui prit la main pour lui tâter le pouls et lui déclara : Je ne sais pas si je vais vous permettre de partir.

Ça y est, s'était dit Aurore. Les histoires d'amour ne l'avaient jamais enchantée et elle se trouvait à peu près à l'âge et dans l'état de Mme de Lafayette qui plaignait ses amis quand ils étaient touchés par les périls de la passion. Mais cet amour avait le mérite de n'en être pas vraiment un. Le Médecin avait déjà sacrifié à la passion, un mariage, deux grands enfants et une liaison avec une actrice connue. Aurore n'était qu'un substitut de l'actrice, une aventure plus sérieuse, moins brillante mais assez gratifiante.

Il la présentait à ses confrères : Vous connaissez Aurore Amer ? Ils ne la connaissaient pas. Il semblait choqué : Vous vous rendez compte qu'ils ne vous CONNAISSENT PAS ! Réflexion qui avait le don de plonger Aurore dans la confusion de cet anonymat, car à quoi sert d'acquérir un semblant de notoriété et d'avoir eu son visage dans les journaux, comme les voleurs et les assassins, pour que cette célébrité de passage vous renvoie au néant. Et vous avez encore la preuve, continuait le Médecin, de l'inculture de ce pauvre corps médical.

C'était une vieille histoire. Ils pensaient régulariser leur liaison, encore que l'époque qui ne savait plus lire ni écrire ne sût pas non plus se marier. Il avait surtout en tête l'Académie de médecine qui n'était pas loin de chez elle, si bien qu'il l'évoquait chaque fois qu'il pensait à Aurore ou plutôt il évoquait Aurore chaque fois qu'il pensait à l'Académie, et c'était de plus en plus souvent. On était loin du happy end mais Aurore ne trouvait pas déplaisant de mettre un terme à sa solitude. Il valait mieux terminer comme la respectable épouse d'un membre de l'Académie que devenir une mère aux pigeons, une vieille sorcière aux gestes déments car il se trouverait des dizaines de personnes pour témoigner qu'elle était folle et qu'on l'avait vue agiter les bras à sa fenêtre et insulter un mur aveugle. Les pigeons attendaient le moment où l'on viendrait l'emporter toute confuse pour pénétrer dans le studio par un carreau brisé, nicher sur sa table, fienter sur ses manuscrits.

Il était huit heures trente et il fallait donner signe de vie. Lola Dhol sentait en bas la rumeur d'une agitation, elle entendait le bruit des conversations. Elles devaient être à la cuisine à commenter les événements de la veille ou à faire le bilan du colloque. Il faudrait les affronter toutes à la fois, subir cette terrible bonne humeur qui est de rigueur dès qu'il y a plus de trois femmes ensemble : à deux, elles se font des confidences et elles ne sont pas gaies ; à trois, elles se remontent le moral ; à quatre, elles tombent sur la quatrième pour l'enfoncer dans la déprime. C'est comme les bêtes, les oiseaux surtout. Si on met deux inséparables dans une cage, il ne se passe rien ; si on ajoute un autre couple, le ramdam commence ; à six, ils s'étripent.

Ces colloques de femmes remplis de femmes qui ne parlent que de femmes, où elle lisait en tant que femme des textes de femmes, c'était son cauchemar. Pas un homme à l'horizon. Plus un homme debout, plus un homme qui ne soit déchiqueté, émasculé, exécuté. Elle se demandait pourquoi à leur tour des jeunes femmes entraient dans cette nasse et se mettaient à éructer leur aigre condamnation des hommes. Elles dénonçaient des hommes absents des salles de réunion et de leur vie. Elles étaient des archéologues qui auraient détesté l'objet de leur recherche et qui ayant découvert un fragment de poterie, un morceau d'os, l'auraient jeté au feu. C'était d'autant plus curieux qu'elles étaient assistées de jeunes hommes qui organisaient leurs colloques, enregistraient leurs déclarations et prenaient des précautions de nounous avec leurs ordinateurs qu'ils posaient bien à plat à l'arrière de l'auto.

Gloria lui avait prêté son Babilou pendant la durée du séjour. Il la baladait dans sa Cadillac framboise et l'amenait en douce prendre un verre ici et là. Il y mettait si bien les formes, chaise offerte, inclination du buste, conversation en français, que boire devant lui n'était plus cette chose laide et clandestine qui l'obligeait à téter la bouteille à travers le sachet marron qui la dissimulait, ou à se verser toutes les fioles du mini-bar dans un verre à dents. Il vérifiait la température du cocktail, le nombre de glaçons, le petit napperon sous le verre, et commandait avant que l'envie d'en redemander la reprît, car ce n'était jamais assez, elle en avait toujours besoin d'un AUTRE. Et l'autre, Babilou le lui tendait comme si c'était naturel de boire trois whiskies d'affilée, trois doubles scotchs. Il ne touchait pas au sien et le lui offrait avant le départ, alors que pour tenir debout elle s'accrochait déjà à son bras.

Le jour de son arrivée, il lui avait demandé si elle ne remarquait rien. Elle voyait un jeune mec de vingt-cinq ans en costume sombre. Pourtant, insista-t-il, je me suis fait coiffer pour vous ! Et effectivement, elle observa qu'il portait attachés sur la nuque par un ruban de velours noir ses cheveux blonds, longs et vaporeux, semblable à un chanteur que l'on a grimé pour un rôle de valet et qui garde à la ville sa tête de scène. Toute la semaine, il s'était baladé la tête aussi raide sur son cou que si elle était au bout d'une pique, soucieux de ne pas déranger l'ordre du brushing et cela faisait drôle de voir glisser cette tête de condamné au milieu des coiffures hirsutes des congressistes qui avaient, elles, renoncé à séduire par des artifices.

Il lui avait dit tout le mal qu'il pouvait de Gloria, un concentré torrentueux de haine retenue : elle le terrorisait, le menaçait et le réduisait en esclavage. Il supportait toute l'organisation matérielle d'un colloque où son nom n'était jamais cité et qui ne lui rapportait pas un sou. Il lui proposa carrément ses services. Il ne devait pas savoir l'état de dèche où elle était tombée pour venir à Middleway. Elle mesura ce que Babilou pouvait coûter en voiture, hôtel, bonne chère, boîtes de nuit, vacances à la montagne et coiffeur. Babilou de Middleway était carrément inabordable. Lorsque l'addition arriva, il lui demanda sa carte de crédit et avec un geste de grand seigneur il l'enferma dans la boîte à musique qui dissimulait la note.

Et d'abord se laver, se débarrasser de cette sueur acide et nauséabonde qu'elle reniflait avant d'ouvrir les yeux et qui lui disait dans quel pitoyable état elle se trouvait. S'asseoir sur le bord du lit, attendre que le vertige qui fait tanguer la chambre s'apaise, filer à la salle de bains et vomir. Nettoyer, dissiper l'odeur de peur, de honte et de mauvaise santé qui se reforme, encore plus forte, véritable signal de détresse destiné, lui semblait-il, à se répandre dans toute la maison, traverser la rue, envahir le quartier, couvrir l'Amérique.

Elle se chercha dans la glace et ne s'y trouva point. C'était ainsi avec les miroirs, elle y apparaissait ou y disparaissait sans savoir à quoi était dû un phénomène qu'elle voulait garder secret, comprenant au fond d'elle-même qu'il n'était pas de très bon augure. Il y a cinq ans déjà, dans un aéroport, elle s'était levée pour vérifier dans le grand miroir mural son maquillage, mais elle était face au vide, tout ce qui devait s'y refléter s'y était englouti, et elle avait disparu dans le décor.

Se maquiller quand même. Elle étala du plat de la main le fond de teint sur tout son visage, puis avec un crayon se dessina les sourcils et les yeux. Lorsqu'elle passa le rouge à lèvres, elle ne trouva pas sa bouche et mit le rouge au hasard espérant que lorsqu'elle réapparaîtrait, ce serait entre les traits sinueux de ses lèvres qu'elle avait dessinées de mémoire plutôt qu'ailleurs sur le front ou les oreilles. Je suis comme un oued à sec, se disait-elle, dont on ne devine pas le cours de l'eau et qui à la première pluie s'ourle de lauriers-roses et de cistes blancs. Où sont mes lauriers-roses ? se demandait-elle et en rebouchant son tube de rouge elle se mit à fredonner une chanson qu'elle avait chantée autrefois : *Lorsque la pluie viendra.*

Aurore attendait devant la porte, elle écoutait les détails de cette toilette, la douche violente, un silence très long et les mots qu'une femme dit devant son miroir quand elle cherche un instrument de maquillage qu'elle a égaré, une exclamation, une injure qu'elle répétait : Shit, shit, shit et puis maintenant cette chanson qu'elle connaissait — nous l'avons tous chantée se disait-elle — et qui lui rappelait les premiers temps de son mariage. La porte s'ouvrit. Surprise, Lola Dhol resta sur le seuil.

— Pardon, dit Aurore, pardon, répéta-t-elle la main sur la bouche en voyant le visage de Lola qui était dessiné à l'envers, des ronds noirs sur une joue, deux traits rouges sur l'autre comme si elle avait résolu sur son visage une addition monstrueuse.

— Excusez-moi, voulez-vous, dit-elle en poussant Lola dans la salle de bains, l'y faisant reculer, et maintenant qu'elles étaient entrées en la retenant contre le mur, vous ne pouvez pas descendre comme cela. Et elle ne savait si Lola la regardait du fond de ses yeux noirs mal tracés qui lui pendaient sur la joue ou avec ses vrais yeux bleus dont le regard était absent. Aurore pensait à ces animaux à qui la nature a donné des faux yeux au-dessus des vrais pour que l'ennemi trompé crève ceux-là plutôt que les autres. En dissimulant la peur qui clôt les yeux, ils donnaient à l'agresseur l'impression qu'ils continuaient de les fixer ou de les provoquer.

— Ne me regarde pas, supplia Lola et elle s'affaissa entre ses bras, le long du mur, sur le sol et Aurore se laissa glisser contre elle, sur elle. Quiconque serait entré à cet instant aurait vu au-dessus des corps entassés le seul et le vrai visage de Lola Dhol, celui d'Aurore, blanc, fin, avec ses larges prunelles bleues sous l'arc de ses minces sourcils blonds. — J'ai peur, dit Lola d'une toute petite voix. — Je sais, dit Aurore, qui lui caressait le dos, je sais. — C'est que personne ne m'aime, dit Lola. — Ce n'est pas vrai, lui répondit Aurore, nous vous adorons, moi, Gloria, Babette, toutes les filles du colloque vous adorent. — Mais les hommes ne m'aiment plus, dit Lola. Et baissant le ton : Je suis une terre qui n'est plus labourée. Et comme si Aurore marquait par son silence qu'elle n'avait pas compris, elle dit plus fort : Je ne suis plus baisée ! Ils ne me baisent plus !

— Vous allez vous laver, répondit Aurore en la relevant et en l'appuyant contre le lavabo. Lola prit une serviette et se frotta comme on bouchonne un cheval avec du foin, durement, grossièrement, en mélangeant ses fards dans un geste de désespoir si absolu qu'Aurore se rappelait ces femmes en Somalie qui lavaient leur visage avec du sable et de la cendre comme pour récurer un cul de casserole et faire briller l'étain.

— Ma tête tourne, dit Lola, je ne me vois pas dans la glace.

— Je vais vous aider, dit Aurore. En appliquant le coton enduit de lait démaquillant sur le visage de Lola sa main tremblait. Elle la touchait pour la première fois, et elle passait le coton le plus délicatement possible sur ces rougeurs, ces boursouflures, ces vaisseaux éclatés qui violaçaient une peau trop fine. Elle pensait aux infirmières qui touchent les grands brûlés une fois seulement qu'ils ont été anesthésiés et il naissait en elle un besoin de réparation universelle. Fermer les yeux, éponger le sang, recoudre les blessures, repasser les linceuls, rouler les bandes, tisser sa toile autour de tant de malheur, faire sa charpie, découper la gaze, ensuite envelopper les cadavres, remettre bout à bout les troncs, les jambes, les bras, les têtes, ficeler le tout en petits paquets bien propres, prêts à être ensevelis ou consumés, choisir du fil blanc, n'employer que le point de suture.

— J'ai le visage abîmé, dit Lola Dhol en la regardant en face. Pas comme toi. Tu t'es fait refaire ? Non ! Pourtant j'ai toujours cru que c'étaient les écrivains qui avaient le visage bousillé, pas les acteurs. Nous, on est seulement MARQUÉS, mais on reste beaux. Normalement avec ce que tu écris, tu devrais être pire que moi, tu devrais être ESQUINTÉE.

Le mot frappa Aurore comme le mot juste qu'elle aurait eu sur le bout de la langue et recherché toute sa vie et que Lola lui livrait dans sa terrible et parfaite vérité. Et elle ne savait si elle devait se réjouir de l'avoir découvert ou au contraire s'affliger de le connaître enfin.

Déglinguée, fatiguée, abîmée, blessée, amochée, détériorée, Aurore avait hésité autour de ces mots pour qualifier l'état dans lequel l'écriture l'avait plongée. Elle provoquait une réaction de rejet immédiat de la part des écrivains installés dans une joie d'écrire qui tournait autour des mots jouissance, puissance, bonheur, plaisir et une attitude de compassion chez ceux qui expliquaient que la profonde détresse de l'écriture n'était que subséquente au malheur de la vie. Elle apportait une solution à une douleur constitutionnelle et avait au moins le mérite de l'évacuer en la déplaçant.

Aurore était hypersensible à la douleur. À la moindre blessure, un sparadrap arraché, de l'alcool sur une griffure, une piqûre, elle pleurait. Très vite, elle avait pris ses précautions, dérobant les cachets qu'on ne lui donnait pas, prise de panique dès qu'un médecin approchant une sonde, un endoscope lui annonçait qu'il y aurait un petit moment DIFFICILE à passer.

Elle ne consultait plus, se débrouillait avec une boîte à chaussures bourrée d'analgésiques mais restait fondamentalement démunie contre la douleur qui s'était repliée dans des migraines que rien ne pouvait soulager, et surtout pas les derniers médicaments miracle. Elle restait prisonnière de cet élancement profond qui perce la tempe, vrille l'œil, frappe le crâne jusqu'à la nausée. Couchée dans le noir avec un gant de toilette qui dégoulinait et mouillait l'oreiller, elle était la proie d'une souffrance qui effaçait le monde et exigeait la totale présence de son corps et surtout de sa tête. Quand elle n'en pouvait plus, elle prenait tout ce qu'il y avait dans la boîte à chaussures, tout ce qui était interdit, tout ce qui était dangereux.

La migraine, à la façon de l'écriture, entraînait le rejet de ceux qui n'avaient jamais eu mal de leur vie et la compréhension de ceux qui savaient, mais qui pensaient que c'était psychosomatique et que les crises qu'il fallait endurer de temps en temps n'étaient finalement que la résolution d'une crise morale plus douloureuse.

— Mais vous ne m'examinez pas, avait-elle demandé à ce neurologue qui l'écoutait derrière son bureau, vous ne voulez pas voir ce que j'ai dans la tête ?

— Vous êtes une migraineuse typique, lui avait-il répondu, il n'y a rien à voir. Médicaments, calmants, analgésiques, vous les connaissez tous. Vous savez aussi bien que moi que rien ne marche vraiment. Ne buvez pas d'alcool, ne fumez pas, couchez-vous tôt. Évitez les émotions.

Elle était un écrivain qui doit éviter les émotions. Elle n'écrivait qu'après avoir absorbé des calmants et en reprenait pour sortir de son livre, pour n'y plus penser, pour éviter l'emprise de l'écriture, ce ressassement infini du livre qui n'en finit pas de s'écrire dans la tête, du livre qui aveugle, qui étouffe tout le reste. Sa vie si épisodique, si fugitive fût-elle, était cependant porteuse d'émotions violentes. Comme la douleur, comme la migraine, elles étaient l'écho d'une émotion initiale déjà si forte que le simple fait d'écrire — c'est-à-dire de la jeter hors de soi dans une empoignade dont le lecteur n'a pas idée — ne pouvait suffire à la réduire.

Aurore n'avait jamais été assez célèbre ni assez ignorée pour connaître les violences ultimes qui tuent les écrivains dans la grisaille de l'insuccès ou, mais c'est beaucoup plus rare, dans une course à une gloire perdue. Une fois peut-être, parce qu'elle était passée très près d'un prix littéraire, elle avait senti ce grand branle-bas des émotions, comme le vent qui se lève sur un navigateur novice qui ne sait pas où il doit placer sa voile. Celle d'Aurore s'était affalée dans le cabinet d'un vétérinaire, boulevard Raspail, à tenter de faire soigner le petit chien, double incertain de Bobinette, que Leila lui avait offert pour la consoler de sa déception.

Trois jours à tenter de le sauver, à faire refaire les pansements du petit chien qu'on lui demandait de maintenir et qui hurlait. Trois jours, donc six fois, à poser sa bouche sur le petit mufle noir, pour avaler ses cris. Pour lui jurer des choses d'amour, des promesses de vie... jusqu'à ce que le verdict tombât. Le chien ne pouvait pas guérir. Elle s'était évanouie. On lui avait donné un morceau de sucre avec une goutte de menthe, c'est ce dont on a le plus besoin dans un cabinet de vétérinaire. Pendant que livide elle suçotait son sucre, le vétérinaire lui conseillait de revenir à plus de raison : Vous n'y êtes pas encore attachée !

Comment n'être pas attachée par ce bouche-à-bouche, par la langue qui la léchait de reconnaissance au travers de sa peur, comment n'être pas attachée par toute cette souffrance qu'elle lui avait prise et qui lui gonflait la poitrine et qu'elle rejetait en torrents de larmes. Mais le doute la saisissait et elle se demandait si ce n'était pas pour le prix d'une douleur occultée qu'elle avait dû porter ce corps rond, délicieux et innocent, sur l'autel du sacrifice à des Dieux barbares qui exigeaient qu'elle souffrît quand même, qu'elle souffrît au-delà des mots, jusqu'à hurler avec le chien. Et maintenant que le chien était mort, elle sentait en elle une violence tragique qui réclamait la mort, et qu'elle retournait en elle et refondait dans une douleur physique qu'à ce moment-là elle pouvait nommer et qu'elle calmait avec des pilules.

Elle mettait tous ses efforts à garder ce visage souriant qui était le meilleur bouclier contre les émotions des autres qui venaient y ricocher. Elle y avait acquis une réputation d'insouciance qu'elle ne voulait pas démentir. Elle prenait donc beaucoup, beaucoup trop de calmants. Car la vie est une succession d'émotions et voulant toutes les repousser, elle avait abaissé le seuil de sa sensibilité. Un simple coup de téléphone, le son d'une voix, et dans cette voix cette couleur imperceptible qui démentait plus ou moins ce qu'elle entendait la troublait. Elle avait enlevé son nom de sa porte et pour la poste, elle était inconnue à l'adresse indiquée. Seul, un très petit nombre de personnes savait qu'il fallait sonner au nom d'un mari qu'elle ne rencontrait plus que par hasard.

Les grands voyages l'apaisaient. Elle partait dans des pays inconnus qu'elle traversait muette et sourde et dont elle recevait à travers une vitre de grands éclats de beauté sauvage ou de détresse pure qui filaient comme des images de cinéma. Il lui était plus facile de circuler au marché de Manaus, réputé dangereux, que de sortir rue de Seine, quartier pourtant paisible et sûr. Oui, il lui était plus facile d'être à Middleway, Kansas, qu'à Paris. Elle était plus heureuse d'être à Middleway qu'à Paris. Et à cet instant elle se demandait même si elle n'y resterait pas selon le souhait de Gloria, si elle n'accepterait pas la proposition du Conservateur du zoo de participer au programme « Un langage pour les chimpanzés ». Oui, elle serait mieux avec les chimpanzés muets du zoo de Middleway qu'avec tous ces gens dont elle connaissait l'intonation de la voix.

Et devant Lola Dhol qui achevait de s'habiller, elle comprenait que les alcooliques, qui restaient plus que les toxicomanes les grands rejetés de l'époque, étaient des gens comme elle mais qui avaient trouvé un remède plus immédiat, plus simple, en vente dans toutes les grandes surfaces, à une douleur semblable à celle qu'elle jugulait à coups de ces analgésiques qui la laissaient vide et hébétée.

— Gloria t'a dit, fit Lola, que je me soigne par le cri ? Il faut crier dès que l'on commence à ressentir une tension, pour la dénouer avant qu'elle ne s'installe. Elle se tourna vers Aurore pour lui montrer. Elle commença à chercher son souffle, puis elle ouvrit la bouche et jeta son cri juste à la figure d'Aurore. Aurore se rappelait ces matérialisations d'incubes qui ne sont dans des bouches ouvertes que des cris moulés dans la cire.

— Mais comment l'as-tu appris ? demanda Gloria.

— Je ne l'ai pas appris, je l'ai SUBODORÉ. Enfin, c'est ma voyante qui m'a mise sur la voie, répondit Babette. Elle m'a dit de me méfier d'une femme vêtue de vert.

Elle avait aussitôt pensé à Sweetie, comme chaque fois d'ailleurs qu'on lui parlait d'une femme susceptible de lui faire du mal, si bien que la voyante avait assigné à Sweetie la dame de pique. Elle revenait sans cesse dans le jeu de Babette comme si tout le mal, concentré sur la dame en noir, amnistiait l'ensemble de la communauté féminine. Être l'ennemie déclarée d'une seule la mettait dans cette position unique de se croire l'amie de toutes.

Mais cette fois-là, la voyante n'accusa pas Sweetie. Elle avait sorti la couleur verte sur la dame de carreau et Babette savait que jamais Sweetie n'aurait mis du vert. Ayant remué tous ses souvenirs et fait défiler toutes les garde-robes des femmes qu'elle fréquentait, Babette oublia jusqu'au jour où, dans une réception, elle fut frappée par une robe de soie vert pomme que portait une de ces petites blondes assez mignonne pour être hôtesse d'accueil ou licenciée d'anthropologie. C'était n'importe qui, sauf qu'elle portait du vert. Babette l'aborda.

N'importe-qui parut embarrassée de se trouver face à la grande Babette Cohen, directrice du département des lettres européennes, membre influent du conseil des études shakespeariennes, présidente du comité de lecture des presses de l'université, LA référence intellectuelle du lieu. Babette, qui connaissait si bien l'embarras dans lequel elle plongeait par sa seule autorité ces jeunes femmes pour lesquelles elle imaginait être l'incarnation d'un idéal, essaya de la mettre à l'aise. La pauvre voulait être hôtesse de l'air, un rêve de petite fille à qui sa taille interdit d'être danseuse ou mannequin, le premier renoncement quand on est un peu jolie.

Ah ! Ah ! fit Babette, heureuse pour N'importe-qui de trouver un terrain de connaissance qui ne la mît pas en position d'infériorité, mon mari est pilote. N'importe-qui se troubla encore plus fort, elle était rouge au-dessus de sa robe verte. Elle connaissait l'Aviateur. Merveilleux, fit Babette, il faudra venir dîner à la maison et elle quitta tout ce rouge sur tout ce vert avec l'impression qu'elle en avait fait une tonne pour une petite gourde. Elle se jura de ne plus se mettre en quatre pour des gens que sa seule présence impressionnait à ce point. Quelle perte de temps !

Sa mère lui avait téléphoné de Bordeaux pour lui souhaiter son anniversaire : N'en fais pas trop, ma chérie... Un temps d'attente, le retour de l'écho et sa voix qui sifflait... : Maintenant que tu as quarante-sept ans, c'est l'âge où l'on se fatigue... De nouveau un bruit de friture et la voix de sa mère avait disparu.

Babette avait raccroché et était restée près du téléphone dans l'attente du rappel. Elle était en bikini, la sonnerie l'avait fait venir du jardin où elle arrachait des mauvaises herbes. Elle ne se sentait pas fatiguée, au contraire le printemps très beau et très chaud la mettait en joie, le jardin serait superbe. Toutes les roses églantines qui avaient hésité pendant quelques années s'épanouissaient en grappes épaisses et serrées, la glycine cascadait sur la façade en embaumant et la chatte était à l'affût d'un énorme rouge-gorge. Pour l'anniversaire qu'elle avait oublié et que sa mère lui rappelait à sa triste façon le jardin lui donnait une fête d'abondance. Il faut vingt ans, se disait-elle, pour qu'une maison s'enracine, pour qu'un jardin s'arrondisse, pour que les arbres s'élèvent plus haut que le toit, il faut vingt ans pour faire d'un lieu inconnu son endroit, sa terre, sa patrie, il faut vingt ans pour être de quelque part et ne plus jamais vouloir s'en aller.

Mais maintenant que sa mère l'avait dit, elle se sentait un peu lasse. Elle s'assit sur le bord du fauteuil en attendant que la sonnerie retentisse à nouveau et que sa mère lui dise qu'elle en faisait trop : trop d'études, trop de travail, trop de diplômes, trop de réceptions, trop de voyages, trop de publications. Pour la famille Cohen, c'était toujours trop ! Basta, se dit Babette avec humeur, basta avec votre vie étriquée, votre soumission aveugle, votre peur d'entreprendre, votre crainte de réussir. Elle n'était pas à la moitié de sa vie, elle se voyait centenaire, et c'est le meilleur qui lui restait à vivre comme le jardinier qui a ensemencé le désert et qui n'a plus qu'à aller d'un arbre à l'autre récolter ses fruits !

L'Aviateur entra en coup de vent, il venait chercher des documents qu'il avait oubliés, il allait droit vers son bureau sans la voir. Elle se rendit compte qu'elle était pâle avec un coup de soleil qui rougissait ses épaules et le dessus de ses cuisses dans ce maillot qui au lieu de lui allonger les jambes par de hautes échancrures comme on les faisait maintenant la coupait horizontalement dans le gras de ses hanches généreuses. Mais elle était ainsi, à s'attacher jusqu'aux vêtements qu'elle avait portés et à ce maillot qui avait verdi, tout cela parce que des années auparavant, à Hawaii, elle avait trôné dedans devant l'Aviateur subjugué par ses formes de déesse.

Elle s'était passé de la crème sur le corps et ne voulant pas salir la bergère sur laquelle elle était assise, elle se tenait les jambes écartées. Elle aurait dû se redresser, rentrer le ventre, croiser les jambes, mais ce qu'elle aurait fait naturellement si elle avait été seule ou habillée, elle n'osait le faire dévêtue de peur de paraître ridicule et provocante aux yeux de l'Aviateur. Il allait repasser dans la pièce et elle était gênée qu'il l'aperçût ainsi, bien moins jolie que vêtue et tellement plus moche que nue ; malheureuse, vraiment, avec ses cuisses ouvertes, son ventre qui rebondissait au-dessus du slip et sa poitrine qui débordait de son soutien-gorge sans armatures ; défaite et tétanisée à la fois.

Surpris, il la vit accablée près du téléphone avec dans le regard tant d'humiliation qu'il ne connaissait pas, tant de tristesse et de renoncement, si abattue, qu'il comprit qu'elle savait et qu'il était grand temps de le lui annoncer lui-même sous peine d'être un lâche. Babette, dit-il, sois courageuse, ce que j'ai à te dire... Il venait de passer un check-up, elle crut au pire. Il avait un cancer, elle allait le perdre. Mon amour, mon amour, cria-t-elle, je t'aime tellement, et elle se rua toute poisseuse dans des bras qui la repoussaient.

L'annonce de son départ avec N'importe-qui dont elle ne revoyait d'ailleurs pas le visage fut un soulagement. Le destin, ne pouvant intégralement réaliser son vœu, lui en accordait une partie : l'Aviateur serait bien vivant et heureux, comme elle le demandait. Près de moi, aurait-elle dû ajouter, vivant et heureux PRÈS DE MOI, mais ça le destin ne l'avait pas entendu. Elle pleura beaucoup. Elle supplia. Pourquoi veux-tu l'épouser ? Parce qu'elle est si jeune, répondit l'Aviateur, et que tu es si forte.

Ainsi que le lui avait annoncé la voyante, la couleur verte couvrait bien la dame de carreau qui elle-même était recouverte par la dame de pique. Sweetie protégeait les amours de l'Aviateur et de N'importe-qui. Elle était venue à bout de l'impossible mariage qui l'avait crucifiée et sa souffrance brûlante s'apaisait enfin auprès d'une petite blonde très fraîche qui ressemblait comme deux gouttes d'eau à la jeune fille qu'elle avait été autrefois et qui n'était pas tellement plus âgée que la petite-fille qu'elle aurait eue si l'Aviateur ne s'était pas définitivement mutilé.

À Gloria qui voyait dans l'Aviateur un salaud qui avait toujours trompé sa femme — elle avait été aveugle pour ne pas s'en apercevoir —, Babette rétorquait que la faute en revenait seulement à sa belle-mère, à son travail de sape quotidien, à son éternel chagrin. Elles étaient près de se disputer, et puis elles tombèrent d'accord, la fautive c'était la fille et toute cette catégorie calamiteuse de jeunes femmes arrogantes qui s'installent d'emblée dans la compétition avec des femmes comme elles et ne doutent pas une seconde qu'elles remporteront la victoire. Elles se bagarrent encore avec le dernier chapitre de leur thèse qu'elles prétendent à tous les postes, on les voit dans les congrès à l'affût du scandale qui les fera remarquer. Péremptoires, elles interviennent sans vergogne. Ce sont des tueuses, plus rien n'est sacré, elles n'ont qu'une idée en tête, leur carrière.

Mais les mêmes, reprit Babette, quand elles tombent amoureuses, alors on ne les reconnaît pas, elles hurlent à la lune, elles glapissent, elles feulent. Elles renient tous leurs engagements et brûlent nos théories sur le bûcher des sorcières.

Elle avait vu des filles, des radicales pourtant, se coller littéralement à des types qui ne demandaient pas autant de manifestations amoureuses et qui n'exigeaient rien de celles qui voulaient tout donner. Et si par hasard elles connaissaient ce qui ne s'appelait plus désormais que les joies de la maternité, elles venaient, les deux poings sur les hanches, exhiber un ventre distendu, enroulé dans des écharpes rouges ou ensaché dans d'affreuses salopettes, pour nous expliquer qu'elles connaissaient le vrai secret du bonheur et que nous, avec notre féminisme, nous nous étions gourées jusqu'à la garde !

— C'est vrai, constata Gloria avec une amertume qui ne lui était guère coutumière, et c'est injuste. Elles n'ont rien, rien qu'une jeunesse et une féminité que l'on a vécues à contretemps dans une montagne d'interdits et de difficultés qu'on a peine à imaginer aujourd'hui et qu'il nous est presque interdit de rappeler sous peine de passer pour des ringardes.

— C'est indigne, appuya Babette, et les types qui entrent dans leur jeu !

— On ne les a jamais acceptés dans le nôtre, répliqua Gloria, on a fait sans eux et c'est tant mieux. Mais pour en revenir aux pétasses, quand je les repère, je leur en fais baver. J'ai le bras long. C'est grand l'Amérique, mais pas assez pour ces connes !

— Arrête, gémit Babette, tu raisonnes comme les vieilles carnes de notre époque, celles qui nous en ont fait voir, celles qu'on évitait aux examens et qui nous détestaient parce qu'on était jeunes et jolies !

— Et alors ? répliqua Gloria, je suis une vieille carne. Elle tapa sur la boîte pour réveiller la bête : Eh ! secoue-toi un peu là-dedans !

Babette se leva pour poser sa tasse dans l'évier. Elle ne voulait pas être une vieille carne à son tour. Elle était un professeur attentif et rassurant qui pour être entendue avait pris un ton appliqué et sérieux avec des étudiants qui craignaient l'humour comme l'expression insidieuse du pouvoir intellectuel. Son français s'était ralenti, il était devenu une langue étrangère dont elle détachait chaque mot pour mieux l'articuler, qu'elle épelait lettre à lettre pour être sûre d'être comprise. Elle avait perdu les fulgurances des reparties qu'elle pratiquait autrefois avec une maestria de fleurettiste. En français, son esprit se murait.

Mais elle admirait le courage et l'énergie des jeunes femmes qui se lançaient, tous azimuts et sans répit, dans la bagarre de ce qu'exige aujourd'hui une vie de femme. Il lui semblait qu'elle avait réussi à se protéger plus qu'elles ne le faisaient dans leur désir de tout embrasser, de tout réduire et de tout dominer. Les jeunes filles, elles, l'émerveillaient. Tour invincible, ailes de colombe, ventre de tourterelle, pour chacune elle inventait le cantique des cantiques.

La lumière qui frappait la fenêtre lui fit cligner les yeux. Elle accommoda un peu derrière ses lunettes et resta un moment à contempler le spectacle des femmes, des enfants autour de la piscine.

— Qu'est-ce que c'est ? demanda-t-elle.

— Quoi ? fit Gloria.

— Tous ces Noirs.

— C'est Pâques, dit Gloria, un peu pincée.

— Excuse-moi, tu sais que je n'y connais rien en religion.

— Eh bien ! ce sont des baptistes si tu veux des précisions, ils vont se faire baptiser.

— Il y en a beaucoup, murmura Babette soudain rêveuse. Ce qui était étonnant avec Gloria qui était noire — car elle l'était légèrement, mais elle l'était —, avec toute la passion qu'elle mettait à l'implantation de la littérature africaine au cœur même de l'Amérique, c'était ce refus obstiné de considérer qu'elle vivait dans une baraque de bois en plein cœur du quartier noir de Middleway et encore pas dans la partie embourgeoisée, plutôt vers la zone où les jardins, oubliant qu'ils ont été plantés un jour d'herbe verte, sont devenus des dépotoirs avec des pneus et de vieilles voitures rouillées qui servent de poulailler.

— Beaucoup de quoi ? interrogea Gloria soudain agressive.

— Beaucoup de baptistes, répondit Babette. Elle se comprenait.

Babette se retourna. Tout dans la pièce lui déplaisait. On sentait le bricolé, le clou rouillé, le contreplaqué. La frisette donnait à la cuisine un air de faux chalet. Gloria bourrait ses placards de verres promotionnels et d'assiettes dépareillées, elle entassait les restes dans le réfrigérateur. Du givre de six mois sur la glace !

Gloria collait des post-it partout, elle en signalait l'urgence en les marquant de rouge. Ils étaient tout rouges. Et puis sur les murs, les photos d'écrivains en noir et blanc que la vapeur avait jaunies car elle utilisait encore pleins gaz une vieille cocotte, engin de mort lorsque, emportée par son élan, elle dansait comme une toupie sur le brûleur.

Babette reconnaissait la débine doublée de ce manque de goût des gens qui n'ont pas été élevés parmi les belles choses. Son adolescence sans musique, sans art, sans tableaux n'avait eu pour seul horizon que l'écran d'une télévision surmontée par un petit vase de cristal d'Arques avec de faux œillets. Loin de la toucher, le foutoir crasseux de Gloria la révoltait jusqu'à la cruauté :

c'était comme ses cheveux gris qu'elle laissait bouffer sur ses tempes, elle n'avait qu'à les teindre, bon sang ! Elle était la plus jeune de la maisonnée et à la voir traîner ainsi on aurait dit qu'elle était leur mère à toutes ! Babette s'en était sortie, les autres n'avaient qu'à faire comme elle ! Elle se drapait dans toute la largeur de son manteau de fourrure dont elle lissait le poil de sa main baguée, constatant seulement qu'elle devrait brosser son diamant terni.

Au bout de la table, Gloria rassemblait ses papiers avec fébrilité, elle en défaisait et refaisait le tas, collait un post-it. Elle venait encore d'avoir la preuve du racisme de Babette, cette façon de répéter le mot NOIR, de dire : « C'est un quartier noir », ou « C'est un magasin pour Noirs » qui était loin d'être une observation mais plutôt une provocation et peut-être même un rejet.

D'ailleurs cette attitude, elle l'avait prise au contact de l'Aviateur qui avait fait le Vietnam. Babette était pour la guerre, pour les soldats, pour les bombardements. Et pendant que tous ceux qui comptaient dans ce pays manifestaient contre les combats, elle allait rejoindre son chéri quand il était en permission à Hawaii. Elle en revenait bronzée, heureuse et détendue et leur disait : Vous ne voulez tout de même pas que je souhaite qu'il casse sa pipe !

Personne ne souhaitait la mort de l'Aviateur. Mais que Babette ait été plaquée, comme ils l'avaient tous prévu, par ce type arrogant, les mettait en joie. Le chagrin de Babette, même s'il était profond et sincère, touchait bien moins Gloria que celui de la fille des Femmes Battues qui venait deux fois par semaine passer l'aspirateur et qui se plaignait avec cette pauvre langue des Blanches du Sud qui ne sont pas allées à l'école. Babette n'était pas intéressante, elle était gênante dans ses fringues d'un autre âge, à exhiber ses signes extérieurs de richesse, alors qu'elle portait — elle l'avait vu — des soutiens-gorge avachis et des collants rosâtres à force d'être lavés. Elle a sa pauvreté à même la peau, se disait Gloria, c'est une peau beige et délavée, une peau épaisse et reprisée avec des épingles à nourrice pour faire tenir les bretelles.

— Et ta maison, tu vas la garder ? demanda-t-elle, sachant qu'elle lui brisait le cœur.

— Justement, répondit Babette se prenant sans méfiance dans ses rets, je ne sais pas.

Elle se faisait du souci, car perdre l'Aviateur était une chose mais perdre sa maison, celle qu'ils avaient fait construire dans le plus beau quartier de Missing, celle qu'elle avait décorée, sans compter le jardin de vingt ans — qui a de nos jours un jardin de vingt ans ? —, la désespérait. Elle était soudain si démunie, si seule, coupée de la tribu des Cohen, de l'Algérie, de la France, et comme rejetée maintenant de l'Amérique bien-pensante dont elle s'était crue adoptée, que Gloria ne lui dit pas que N'importe-qui saurait très bien s'occuper d'un jardin de vingt ans. Elle n'aurait que ça à faire !

Gloria se dirigea vers la fenêtre, Babette avança vers la boîte du rat. Comme si elles effectuaient une figure de danse, elles se croisèrent au milieu de la cuisine, en faisant un mouvement pour s'éviter. À cet instant, elles se détestaient. À la fenêtre, les bras appuyés sur l'évier, le cou tendu, Gloria regardait les femmes à chapeaux fleuris dans de belles robes brodées, les petites filles habillées d'organza et les petits garçons en costumes trois pièces. Les adolescents avaient revêtu leurs tenues de base-ball neuves avec les bulls de Chicago sur le dos de leurs vastes sweaters et leurs casquettes noires vissées sur le front.

C'est mon peuple, se disait Gloria, c'est mon peuple heureux et fier qui a trouvé les verts pâturages, et cette expression de la Bible qu'elle avait chantée enfant sans la comprendre s'éclairait devant la moquette de faux gazon, les verts pâturages de l'Amérique. Ce sont des exilés, comme moi, se disait Gloria, comme Lola, comme Aurore, comme Babette, comme nous toutes ici, comme chaque Américain d'Amérique qui n'a plus d'espoir que dans le Dieu dollar !

Elle venait d'une île des Caraïbes, une île sans arbres, une mer sans poissons, un ciel sans pluie. Et Gloria se rappelait sa grand-mère, la mendiante de Port-Banane qui, elle, n'avait que les verts pâturages du ciel. La grande main décharnée de sa grand-mère, trop grande pour son corps qui s'était rapetissé. Une main toujours tendue qui la contraignait à lui faire l'aumône alors qu'elle aurait tant aimé ne lui offrir que des cadeaux. Mais elle rechignait devant les paquets et les rubans, elle soupirait devant les objets, en évaluait le prix et déplorait qu'ils eussent coûté si cher. Des chèques alors ? Elle n'en voulait pas non plus, il faudrait aller à la banque, on la volerait en route. Non, elle demandait des dollars de la main à la main. Sa main avait la longueur d'un dollar, elle était un étui à dollars, et Gloria était bouleversée quand elle faisait disparaître les billets verts qu'elle roulait dans un coin de son pagne, pour à nouveau tendre sa main nue.

Elle n'avait plus supporté cette humilité hargneuse, cette façon de la traiter en étrangère, de lui réclamer de l'argent avec l'air épuisé et malheureux qu'elle avait pris toute sa vie avec les innombrables comités de bienfaisance qui l'avaient secourue. Lorsqu'elle sortait dans Port-Banane, Gloria était poursuivie par des femmes et des enfants qui, devinant à ses habits l'AMÉRICAINE, la suppliaient du même air fermé, tragique et souffreteux. C'est alors qu'elle avait pris la décision de ne plus revenir. Chrystal ne connaissait pas la mendiante de Port-Banane.

Apprendre à lire à Port-Banane quand on est la petite-fille bâtarde d'une vieille femme dont la mendicité est l'unique ressource tenait de l'exploit. Venir de Port-Banane à la Tomato Fondation tenait du miracle même avec un diplôme d'institutrice en poche. Trouver un poste dans une université américaine avant les lois contre la discrimination tenait de la prouesse. Cent fois elle avait cru y arriver, cent fois on la récusa poliment, son nom les avait abusés. On vous téléphonera, Madame Patter, et on faisait sonner son nom comme si elle l'avait fauché quelque part et qu'il fallait qu'elle le rendît. Et puis le ciel se dégagea. Elle avait fait sa thèse sur le Grand Oracle et la lumière tutélaire de celui qui avait déclaré que le futur serait femme, noir et américain, éclaira la carrière de Gloria. Le Machiniste était reparti dans sa ville natale où il avait trouvé un boulot de duplicateur de cassettes vidéo à l'université. On commençait à informatiser les services, il se montra efficace, Gloria bénéficia de la protection du Grand Oracle et du succès de son époux. Elle fut engagée à son tour.

Elle racontait volontiers son odyssée. Elle s'était acheté une voiture d'occasion, elle avait pris deux leçons, juste pour savoir avancer et s'arrêter. Elle empila ses cartons de livres, deux fauteuils en rotin, une litho et mit les bouts. Elle déplia la carte des États-Unis sur le siège du passager et fila le nez sur le volant, interminablement dans la même direction, vers le centre de l'Amérique.

Elle s'arrêtait dans des motels cradingues dont les panneaux rouillés grinçaient dans le vent. Sur le pas de la porte, de grosses femmes la toisaient : pas de chambre. Elle se rangeait quelques kilomètres plus loin sur le bord de la route pour dormir un peu, craignant que les gens du motel ne vinssent lui faire la peau.

Dans les stations-service elle demandait sa route à des types en salopette bleue qui secouaient la tête avec lenteur pour répondre qu'ils ne savaient pas. Cela avait l'air de les embêter de la servir et ils prenaient leur temps. Pendant que l'essence refluait du réservoir et coulait le long de la carrosserie ils l'observaient fixement. Elle les dérangeait, c'est tout ce qu'ils pouvaient en dire, elle les dérangeait cette femme toute seule, avec son chargement. Elle les dérangeait de plus en plus, et l'essence se répandait à terre, comme un trop-plein d'indignation qui allait exploser dès qu'ils ouvriraient la bouche. Ils retiraient enfin le tuyau, elle se dépêchait de les payer avec des billets, elle n'envisageait pas de tendre une carte de crédit, un chèque avec une pièce d'identité où il y aurait sur la photo sa tête en plus noir.

Elle fit le voyage la peur au ventre, obsédée par la crainte de n'avoir pas assez d'essence pour aller jusqu'au bout, d'être obligée de faire signe aux grands camions brinquebalants qui faisaient la course, d'attirer sur elle l'attention d'un des conducteurs, de provoquer un rassemblement avec toute cette cibi qui les rendait fous et, un bidon à la main, d'être la proie de ces hommes-là, dans ce pays-là.

Dans le parking d'un supermarché, elle se débarrassa de son déménagement, histoire d'alléger la voiture. Elle s'acheta une perruque blonde. Elle fit surtout l'emplette de trois jerrycans qu'elle remplit elle-même d'essence et elle fila sans s'arrêter, avec la hantise de griller sous sa perruque de nylon si la voiture, en faisant une embardée, se retournait.

Elle croyait avoir tout vu, tout vécu. Rien ne lui avait été épargné, ni l'étude du soir sous les lampadaires de la rue, ni la route interminable sous ses pieds nus de petite fille, ni l'orphelinat des bonnes sœurs que leur charité avait rendues si dures. Ni New York, un jour, pour y retrouver son père quand on ne sait pas que New York pour les Noirs c'est le Bronx. Elle avait connu la ligne rouge des non-résidents et les interrogatoires humiliants de policiers obèses qui lui demandaient, cuisses écartées, si elle n'avait pas de maladie vénérienne. Elle était passée par la cérémonie qui confère la citoyenneté américaine en chantant l'hymne américain la main sur le cœur et les larmes dans les yeux. Mais l'Amérique, elle la connut vraiment sur la route interminable pour rallier la grande plaine.

Elle entra dans Middleway, vit le panneau qui signalait l'université et fit sa toilette dans les lavabos du département des lettres étrangères. Elle jeta la perruque, défripa une robe qu'elle avait achetée par correspondance dans les pages Milady d'un catalogue, un truc drapé qui faisait dame. Elle enfila des escarpins et demanda à être reçue par le doyen. Dix minutes plus tard, il lui faisait visiter son département mais, en serrant les mains de ses futurs collaborateurs, elle ne pensait qu'à se défaire du reste de l'essence accumulée dans les jerrycans sans mettre le feu à la ville. Pas une seconde, elle ne songea que le Machiniste pouvait l'aider. Son voyage l'avait figée dans une solitude profonde et quand enfin ils se retrouvèrent, il ne la reconnut pas. Il avait quitté Angela Davis, il retrouvait Barbara Hendricks. Cheveux tirés, elle l'intimidait.

Sur les directives de sa conseillère en communication, elle portait maintenant ces tailleurs raides dont s'arment les superwomen survoltées des pubs pour déodorant. Elle trichait sur la matière, de la flanelle en polyester, du prince-de-galles à cinq dollars. Elle ne pouvait pas consacrer de l'argent à des vêtements qu'elle ne mettait que pour se cacher.

Ses pieds de pauvre se révoltaient dans ses chaussures de riche faites pour des pieds qui n'ont jamais marché nus sur la terre, dans les cailloux et dans la boue ; qui n'ont jamais souffert dans des souliers mal foutus ; des pieds qui n'ont pas pris la forme des Bata en carton que l'on porte le dimanche à l'orphelinat et que l'on inverse chaque semaine — une fois le pied gauche, une fois le pied droit — pour ne pas les user toujours du même côté. Ses pieds s'étaient élargis, elle leur concédait une demi-pointure de plus de temps en temps. Le soir, elle frottait ses orteils meurtris, et la douleur due à la soudaine libération de ses escarpins américains était intense et lancinante.

Chez elle, elle restait pieds nus et, par n'importe quel temps, elle allait chercher le journal au bout de l'allée. Il lui revenait à travers la plante des pieds d'obscures sensations enfantines et sa démarche dansait. Tous les matins, le Pasteur la regardait rouler des fesses comme si elle avait été encore la gamine de Port-Banane que l'on frappait du plat de la main pour qu'elle rentrât son derrière. Et en feuilletant le *Middleway Today*, elle se déhanchait furieusement, un pas à gauche, un pas à droite, tout en lançant par-dessus son épaule au Pasteur : — Je fais ma gymnastique, mon révérend !

— Je sais, madame Patter, lui répondait le Pasteur. Un corps sain dans un esprit sain, c'est beau comme une prière.

Oui, elle avait aimé ce quartier gagné, maison par maison, sur la ville blanche. C'était ainsi dans ces années-là : lorsqu'un Noir arrivait le Blanc d'à côté déménageait, non sans avoir vendu sa maison à un nouveau Noir, ce qui déclenchait, comme au jeu de dominos, le départ du Blanc le plus proche. Il vendait vite fait de peur que sa maison ne valût plus rien du tout, et qu'il n'y eût même plus de Noirs pour l'acheter. C'était une maison en bois toute simple avec une véranda et une balancelle pour les belles nuits d'été, un morceau de gazon planté d'un arbre de Judée. C'est ici qu'ils avaient conçu et élevé Chrystal. C'est ici que la vie, qui avait cessé entre eux, s'était mise à tourner autour de la petite fille qui était comme un cadeau du ciel pour son exquise beauté et pour une vivacité rare chez les enfants du même âge qu'elle dépassait dans tout ce qu'elle accomplissait. Ils avaient pris un soin jaloux à la former, à la guider, les leçons du père doublant puis supplantant, parce qu'il avait plus de temps, celles de la mère.

Dans une vidéo tournée par le Machiniste pour la fête des mères, Chrystal, douze ans, à la question : À qui voudrais-tu ressembler ? avait répondu : À Marilyn Monroe ; et à la question : À qui ne voudrais-tu pas ressembler ? : À MA MÈRE ! Son joli visage tourné vers la caméra, les yeux droit dans l'objectif, elle expliquait qu'elle ne voulait pas être une femme qui sacrifie sa vie privée à sa vie publique ; qui travaille jusqu'à deux heures du matin et qui s'enferme dans son bureau le week-end pour rattraper le temps perdu ; qui ne part en vacances qu'à la condition de suivre à travers l'Europe un groupe d'étudiants qu'elle réunit chaque matin pour les faire travailler et qu'elle suit chaque après-midi dans leurs excursions culturelles pendant que Chrystal et son père qui étaient du voyage s'occupaient comme ils pouvaient : Prends un livre et lis !

Chrystal déclarait à la caméra qu'elle voulait de nombreux enfants, un mari et une maison bien rangée !

Ils avaient bien ri tous les trois en visionnant la cassette que le Machiniste avait truffée de gags, de Bunnies qui se couraient les uns derrière les autres sans arriver à se rattraper. Il avait accéléré le mouvement pour montrer à quel point Gloria était SPEEDÉE. Cela se terminait par une giclée de cœurs roses : JUST KIDDING ! nasillait Chrystal qui avait pris chez ses grands-parents un fort accent du Kansas. JUST KILLING ! IT'S A JOKE. Les cœurs se regroupant formaient la phrase : I LOVE MUM, SPLATCH ! ! !

Gloria avait moins ri lorsqu'un soir elle s'était rendu compte que la robe de bal de Chrystal, sa robe de prem, avait déjà été achetée alors qu'elle s'était fait une joie de consacrer son après-midi à sa fille. Elle se serait amusée à tâter toutes ces soies suaves ou éclatantes, à chercher les escarpins assortis. Elle lui aurait peut-être offert un rang de vraies perles. Profiter d'être la mère comblée d'une adorable adolescente, la montrer, recueillir tous les compliments, avant de l'exposer dans le monde et attendre, anxieuse, son retour à minuit : la bière, la drogue, la vitesse, un baiser, pour une robe de soie !

Tout était là, étalé sur le canapé, acheté avec DAD une semaine à l'avance. Mais pourquoi ? avait demandé Gloria. Un flot d'aigreurs sortit de la jolie bouche qui, entre deux aspirations de coca-cola, lui expliquait que toutes les autres avaient déjà leur robe, et qu'elle avait eu peur qu'il n'en restât plus dans le modèle qu'elle désirait et que Dad était sorti du bureau exprès et que Dad l'avait amenée au grand magasin et que Dad l'avait aidé à choisir.

— Mais je t'avais dit que je tenais à l'acheter moi-même, que cela me faisait plaisir !

— Ah ! ton plaisir, toujours ton plaisir bien sûr. Elle attaquait : Et moi, tu penses un peu à moi ! et l'enfant éclata en sanglots. Pour la consoler son père lui promit de la conduire chez sa grand-mère qui l'habillerait pour la grande occasion. Laisse, disait-il à Gloria avec une petite moue qui montrait que ce n'était pas grave et qu'il ne fallait pas pousser Chrystal dans ses retranchements, laisse.

Gloria n'avait pas vu sa fille en robe de bal et s'en consola en se disant que c'étaient des coutumes d'une mièvrerie éculée et qu'elle n'aurait jamais dû tremper là-dedans, parce qu'elle trouvait cette mascarade ridicule. Maintenant Chrystal vivait plus souvent chez ses grands-parents qu'à la maison. Le Machiniste avait plaidé pour cet arrangement qui épargnait à l'enfant le souci de se préparer toute seule le repas du midi et souvent celui du soir. Elle attendait interminablement ses parents devant la télé, avec le téléphone à l'oreille car avec sa meilleure amie, elles ne se parlaient pas mais mettaient la même émission et la commentaient au téléphone comme si elles avaient été côte à côte.

Il fallait que Gloria le comprît, c'était une trop grande solitude qu'ils imposaient à leur fille. Et puis, lui aussi, s'était mis à aller dîner chez ses parents pour rejoindre Chrystal devant une vraie table, sans papiers, sans post-it, sans rat. Il avait pris le prétexte de l'incendie et de l'inondation pour y déménager ses ordinateurs. Ils se voyaient à l'université. Et la dernière fois qu'elle l'avait aperçu, il y avait deux jours, elle se garait dans le parking, alors qu'il en sortait. Il ne l'avait pas remarquée mais elle l'avait trouvé changé, vieilli soudain. Elle avait eu pour lui une bouffée de tendresse et s'était dit qu'elle l'appellerait dès qu'elle serait dans son bureau. Mais à peine avait-elle poussé la porte qu'elle avait été assaillie de toutes parts à ne plus savoir où donner de la tête. Se rendant compte le soir qu'elle ne l'avait toujours pas appelé, elle s'était juré qu'elle le ferait ce matin-là, en se levant.

Gloria composa le numéro de ses beaux-parents et pendant que la sonnerie s'égrenait, elle consulta sa montre : neuf heures et quart, ils devaient sûrement être partis pour le temple. Chrystal était réveillée.

— Quoi ? répondit-elle.

— C'est toi, ma chérie, mon petit lapin en miel, ma beauté d'orange, débuta Gloria.

— Attends, je vais chercher papa, coupa Chrystal. De nouveau une longue attente qui commença à l'impatienter.

— Vous dormiez ou quoi ? demanda-t-elle au Machiniste qui répliqua qu'ils s'étaient en effet couchés assez tard la veille et alors débuta un dialogue d'une pauvreté affligeante sur ce qui s'était passé durant le colloque, sur la sortie qu'elles avaient effectuée après entre filles. Et pendant qu'elle parlait, elle sentait le regard peu amène de Babette dans son dos qui devait mesurer la médiocrité d'une relation que Gloria s'entêtait à appeler mari, enfant, famille. Gloria se recroquevillait sur le téléphone pour récupérer le peu d'intimité qui lui permettrait de dire au Machiniste qu'il lui manquait quand Lola Dhol fit son apparition, si belle malgré tout que c'est vers elle que le cœur de Gloria bondit. Elle était impatiente de claquer le téléphone au nez du Machiniste qui restait sur le même ton neutre à commenter le western qu'ils avaient vu avec Chrystal en bouffant des pop-corn : Hein que c'était super ! Dis-le à Mummy.

Du regard Lola Dhol fit le tour de la pièce. Elle se souvenait de la cuisine où s'était déroulée sa petite enfance. Elle aimait l'odeur du bois et du café qui chauffe. C'était presque le bien-être et elle s'étira en bâillant. Au nord, l'hiver retient longtemps l'enfance, il la couve dans les cocons de neige, il la pelotonne dans de grands lits blancs et inscrit sur les vitres les signes étincelants de son bonheur. Pour Lola, l'hiver c'était aussi le ventre rouge du théâtre Gustav-Dhol, la loge de sa mère étroite comme une roulotte de bohémienne, où les actrices de la troupe qui arrivaient emmitouflées jusqu'aux yeux avec leurs écharpes et leurs bonnets se dévêtaient peu à peu en prenant le thé.

Au milieu de leurs vêtements, elles parlaient d'amour. Les mots, semblables à des vagues, s'étalaient sur cette plage infinie du rire ou s'enflaient et éclataient d'indignation. Elles étaient volubiles telles des femmes au lavoir. Il leur montait à la bouche des ordures séculaires, elles exhalaient la mésentente immémoriale. Une porte claquait, les actrices se taisaient et on entendait la voix de son père qui inspectait la scène et qui parlait tout seul dans le théâtre vide. La voix de son père qui essayait des textes, qui enfilait des tirades.

L'été, c'étaient le bateau et les îles, les fleurs par brassées ou un arbre qui tient seul contre le vent. Le soleil lui ramenait sa mère du matin, jeune, nue et blonde, et son père qui lisait dans le jardin en leur tournant le dos pour ne pas les entendre. Lola leur récitait des morceaux des pièces qu'ils avaient jouées l'hiver et qu'elle avait appris sans s'en rendre compte. Ils lui demandaient de choisir un rôle entre celui d'une reine magnifiquement parée qui ne dirait rien et celui d'une pauvresse en haillons qui tiendrait la scène d'un bout à l'autre de la pièce. Je choisirai la reine, répondit Lola.

Elle avait fait pour la première fois l'amour à treize ans avec un type qui en avait trente-sept. Elle se rappelait l'âge de son amant parce que son père, qui avait à l'époque plus de cinquante ans, fixait à trente-sept ans le début de la décrépitude féminine et le comble de la séduction masculine. Il disait ce qui peut approximativement se traduire en français par « avoir de la bouteille », ce qui veut dire être bien chambré, bon à déguster. Elle s'était offert un grand cru. C'était un jour comme celui-là, doux et crépitant de vie nouvelle. On aurait pu entendre les feuilles des arbres se dérouler, les bourgeons exploser en forçant leurs cupules, les fleurs s'ouvrir jusqu'au fond de leurs pistils humides et les bourdons s'empêtrer lourds de pollen pendant que des myriades d'insectes formaient d'épaisses couronnes bruissantes ou d'idéales auréoles dorées au-dessus de la tête des promeneurs.

Il s'agissait de la première sortie en mer de l'année pour pique-niquer dans une île en compagnie des parents et de la troupe. En fait c'était un guet-apens monté par les actrices pour accorder à la doublure de maman un célibataire de trente-sept ans. Cette femme, toujours insatisfaite, passait en amour de l'exploit au déboire. Lola ne l'aimait pas parce qu'elle monopolisait l'attention de sa mère et qu'on l'avait contrainte à exécuter pour elle certaines choses qui la répugnaient. Elle devait lui enduire le dos, le derrière des cuisses et des mollets d'ambre solaire ou porter ses vieux maillots de bain pour satisfaire le plaisir pervers qu'avait cette femme de voir ses vêtements sur le dos d'une gamine grande et belle et de constater qu'elle avait toujours un corps d'adolescente.

Le scénario envisagé prévoyait qu'après les premières approches, la Doublure affecterait un gros chagrin ou une forte colère qui lui ferait quitter le groupe et s'éloigner vers l'intérieur des terres où l'on partirait à sa recherche, faisant en sorte de laisser au Célibataire l'avance nécessaire pour la retrouver, la consoler, lui faire connaître le septième ciel et la ramener à six heures au bateau. En fait la Doublure se perdit vraiment, le Célibataire se trompant de chemin se dirigea vers la côte, et fouillant les anses, les rochers, les petites plages découvrit Lola qui à l'abri de cette grosse conspiration sexuelle ramassait de la mousse de mai, dont la particularité est de ne fleurir qu'en juin.

Ils avaient marché ensemble dans les rochers. Engoncé dans un maillot de bain en laine qui lui montait jusqu'à la taille mais qui était le maillot de bain de Burt Lancaster, il lui prit la main. Ses cheveux dénoués flottaient sur sa joue, enveloppant parfois tout le visage et il lui disait qu'ils étaient doux et qu'ils sentaient bon. Il l'embrassa au bord de l'eau. Elle le mit au défi de plonger et enleva son pull. Le visage du Célibataire changea, elle crut que c'était de l'admiration parce qu'elle allait entrer dans l'eau qui était très froide et cela avait décuplé son courage. C'est sûr, elle allait s'y jeter, dût-elle en sortir bleue.

Mais il ne l'avait pas laissée entrer dans l'eau, au contraire, il l'avait retenue très fort contre lui, elle s'était un peu débattue et en se débattant son corps avait pris l'empreinte du corps de l'autre, de son torse, de ses bras, de son ventre, du bas de son menton, de ses jambes, de sa bouche, de ses cuisses, de son sexe, de son dos, de ses fesses. Il était lourd et puissant, et quand elle jouit avec l'impression qu'elle coulait au fond d'un aven très profond, presque souterrain, dans un éboulement que le plaisir qui se répétait poussait toujours plus loin, elle savait qu'il la retiendrait et la ramènerait à la surface et qu'elle pouvait aller tout au bout d'une exploration extraordinaire.

C'est après qu'il lui avait demandé son âge. Douze ans et demi. Elle s'était retranché six mois, histoire de paraître en avance. Il lui répondit que ce n'était pas vrai, qu'elle n'avait pas douze ans et demi et d'une certaine façon il avait raison. — Gagné, fit-elle, c'était pour te faire marcher, j'en ai treize. — Ce n'est pas vrai, suppliait-il, il espérait que de six mois en six mois, elle se révélerait majeure. Quinze, s'il te plaît, au moins quatorze et il essuyait en frottant avec la main un peu de sang qui coulait le long de sa cuisse.

Ils en étaient là de leurs comptes, désunis et déjà hostiles, elle avec ses treize ans dont elle ne voulait pas démordre, lui avec les seize qu'il exigeait, quand la Doublure avait surgi. Furieuse de n'être pas découverte, elle avait cherché son chercheur, poursuivi son poursuivant. Elle les avait engueulés pour toute cette occasion perdue qui ne lui laissait même pas le temps d'embrasser le Célibataire. File devant, ordonna-t-elle à Lola avec cette autorité méchante des femmes au bout du rouleau, va dire qu'on arrive. Lola était partie à pas lents, ça l'embêtait de les laisser ensemble, surtout pour cette sensation magique dont le frisson lui remontait encore le long des reins, le long du dos, entre les épaules. Elle lui faisait renverser la tête en arrière, ses cheveux caressaient ses fesses et le haut de ses cuisses.

Au retour elle était lessivée, avec aussi peu de tonus qu'une écharpe de laine. Impossible de mettre un pied devant l'autre, impossible d'ouvrir les yeux, seulement ce plaisir doux qui n'en finissait pas d'onduler le long de ses jambes quand elle les refermait ou quand son pull frottait ses seins. Sur le bateau, son père l'avait enveloppée dans une couverture et la tenait serrée entre ses bras. — Regardez-la, disait-il, on dirait un chaton. — Quel âge a-t-elle ? demanda le Célibataire dont c'était décidément l'idée fixe. — Douze ans, répondit la mère de Lola qui essayait par contrecoup de se rajeunir, c'est une toute petite fille.

D'abord, il ne voulut pas la revoir, il pensa partir au bout du monde, il était producteur, c'est-à-dire qu'il organisait des tournées théâtrales. Cela aurait pu l'aider à fuir Lola, malheureusement il était lié par le système aux parents de la petite fille et surtout à la Doublure dont il était devenu l'obsession. Si bien que Lola savait le retrouver où qu'il fût. Elle en fit le siège, ne lui laissant aucun répit. Elle passait tout son temps à le guetter chez lui, à lui téléphoner, à le surprendre à la sortie des spectacles. Elle alla jusqu'à s'enfermer avec lui toute une nuit dans le théâtre.

Elle remporta la victoire une première fois, puis étant repoussée à nouveau à cause de son âge, elle recommença autant de fois qu'il fallait pour finir par goûter entre les bras du vaincu, qui était maintenant sa possession, un plaisir quotidien qui n'était pas plus intense que la première fois mais meilleur, car elle l'attendait de pied ferme et passait sans angoisse de l'autre côté du miroir, au fond de la caverne. À quinze ans, avec l'accord de ses parents qui voulaient en faire une danseuse et qui devant l'allongement de sa silhouette, une atonie chronique et un refus du moindre effort en avaient rabattu, il la fit engager au cinéma dans une production où elle jouait une fille de dix-huit ans.

Maintenant qu'elle avait dix-huit ans dans la fiction, il la prenait sans remords. Il lui infligeait du plaisir à telles doses qu'elle montrait cet air un peu égaré qui faisait dire aux spectateurs qui la voyaient sur l'écran qu'elle était certainement bête mais qu'elle avait l'intelligence du corps. Elle se rappelait son succès presque immédiat, elle comprenait que les gens sentaient et goûtaient à travers elle le plaisir qu'ils s'interdisaient.

Elle s'en était fait souvent la réflexion, peu de gens qui le pratiquent aiment vraiment le sexe. Ils sont comme des touristes qui visitent des lieux inaccessibles qu'ils trouvent très beaux en les regardant de loin, et qui n'y vont jamais voir. Ils papillonnent, ils discutent, mais personne sur le glacier, personne au fond du gouffre, personne au sommet du pic. Quelques-uns crient à l'exploit et plantent vite fait leur drapeau pour redescendre sous oxygène. Si les gens savaient vraiment ce qu'est le plaisir, ils n'auraient plus, comme elle ou le Célibataire, de temps pour autre chose. Tous les grands actifs qu'elle avait approchés, presque toutes les réussites sociales ou intellectuelles étaient l'aveu d'un néant sexuel. Car ce n'est pas avoir une sexualité que de baiser entre deux portes, d'aller aux putes même plusieurs fois par semaine. Il fallait chercher les conquérants de l'extrême dans la catégorie de ceux qui se moquent de tout parce qu'ils savent que faire l'amour, le faire totalement, suffit à combler la vie.

— La salle de bains est libre ? demanda Babette.

— Aurore y est encore, je crois, répondit Lola. Et suivant le fil de ses pensées, elle se disait qu'il était faux de croire que les femmes ou les hommes attirés par la beauté faisaient l'amour avec plus de plaisir que les autres et qu'une femme très belle ou un homme très beau était le gage de la réussite d'un couple. Au contraire ! Souviens-toi toujours de la boulangère de P., lui avait raconté le Metteur en scène français : moche, pâle, rondouillarde, avec des cils de porc, qui attirait et rendait fous les mâles du département qui y goûtaient. Sa réputation était allée jusqu'au Sénat ! Alors vous, les belles-jolies, continuait-il en lui servant à boire, on n'en a rien à foutre !

— Si elle ne se dépêche pas, dit Babette avec impatience, je vais être en retard.

— Il n'est que neuf heures et demie, dit Gloria, Horatio a juré qu'il serait à onze heures devant la porte
— Oui, mais avec cet encombrement devant l'église, il ne va pas y arriver.
— Veux-tu que je l'appelle pour qu'il vienne plus tôt ?
— Ça ne fera pas sortir Aurore de la salle de bains !

Est-ce que Gloria ou Babette étaient comme la boulangère de P. ? se demanda soudain Lola. La grande dans son gros manteau de sacrifice et la petite dans sa chemise de nuit déchirée pouvaient, elles aussi, cacher leur jeu. Et puis elle se rappela leur volonté de puissance, cette façon écrasante d'occuper leurs fonctions directoriales, cette mesquinerie active, cette tristesse agressive et, signe qui ne trompait pas, à leurs trousses les petits secrétaires-gigolos, méchants comme des harpies et plats comme des toutous. Elles ne savent pas ce que c'est, se dit-elle, elles ne l'ont jamais su. Et se rappelant Aurore en haut dans la salle de bains : Celle-là, c'est sûr, elle est vierge !

La douche et le lavabo étaient encore mouillés, la fenêtre disparaissait sous la buée. La salle de bains était saturée d'un air chaud et humide qui prenait à la gorge. Les mains posées sur le lavabo, Aurore, les yeux fermés, respirait cette atmosphère douceâtre et odorante que partout ailleurs elle aurait chassée en ouvrant la fenêtre, en essuyant les vitres et en nettoyant le lavabo mais qu'elle respirait ici, lentement, profondément.

Elle respirait l'odeur de Lola avec des inspirations de plus en plus profondes, comme un halètement d'amour destiné à la combler dans la plus parfaite fusion lorsqu'elle rêvait, enfant, le nez dans le cou de sa mère. Elle respirait Lola, traquant sous l'air chaud et humide, âcre et suffocant, le parfum très doux et pourtant amer de son corps. Elle se déshabilla. Comme dans une étuve, l'humidité odorante lustrait sa peau, mouillait ses cheveux et la couvrait d'une sueur de plaisir.

Elle essuya un morceau de miroir au-dessus du lavabo, son visage revint à la lumière. Elle se souvint du miroir doré du dortoir des grandes devant lequel, à tour de rôle, les pensionnaires de terminale finissaient leur toilette, et de son émotion lorsqu'elle avait vu apparaître l'adorable visage de Lola Dhol à la place du sien. Elle s'était incarnée. Elle échappait à cette existence flottante, à peine réelle, consacrée aux innombrables disparus de sa famille et du ciel que les prières de Saint-Sulpice allaient à chaque heure, dans un calendrier de l'immortalité, repêcher des abîmes de l'oubli.

Énorme tâche de dire aux saints qu'ils existaient encore et à ses parents qu'ils n'étaient pas morts, comme si ne pas penser à ceux qui avaient disparu c'était les perdre pour toujours. Rechercher partout le visage de sa mère, guettant un indice qui pût la mettre sur la voie, négligeant le principal, son propre visage qui sûrement, plus qu'aucun autre, devait l'évoquer et qui lui aurait dit presque à coup sûr la couleur de ses yeux, la forme de son nez et mille détails encore qu'elle ne se rappelait pas.

Elle était passée pendant des années devant des miroirs sans savoir qu'elle existait, devant des glaces qui ne la reflétaient pas et puis ce matin-là, tout d'un coup, elle s'était perçue sous les traits d'une jeune fille qui donnait le ton à toute une époque. D'un geste furtif, elle avait plaqué ses cheveux en arrière pour savoir si les cheveux très courts de Lola Dhol lui iraient aussi bien.

Et dans le coin de ce miroir de Middleway elle tentait d'apercevoir un visage auquel elle s'était si peu intéressée ces dernières années qu'elle l'avait oublié. Elle voyait un masque figé où les couleurs, surtout celles des yeux et des cheveux, avaient pâli, où les traits s'étaient effacés dans cet ovale interchangeable que les enfants dessinent à leurs bonshommes en guise de tête et sur lequel n'importe quel visage, y compris celui de Lola Dhol, aurait pu s'appliquer : Je suis tout le monde se disait-elle, et peut-être ma mère. Et soudain elle se rappela que sa mère était morte très jeune.

Elle laissait la buée envahir la glace et peu à peu effacer son visage. Entre l'apparition de Saint-Sulpice et la disparition de Middleway, il y avait eu trente ans, trente ans d'absence à elle-même. Ce qui l'étonnait, c'est qu'avec ce visage elle avait toujours plus ou moins suscité l'envie chez les femmes ; que cette envie se soit affirmée voire décuplée au fil du temps alors qu'il lui semblait que moins jeune, elle devenait moins désirable. En fait son apparence physique entrait peu dans l'antipathie qu'elle provoquait. L'éducation, toute de réserve, qu'elle avait reçue durement à Saint-Sulpice y avait sa part et aussi qu'elle fût un écrivain, fonction qui en France et surtout ici, à Middleway, fédérait toutes les envies et les poussait au-delà de la frontière des sexes. Elle était reconnaissante à Gloria de tant l'aimer.

Elle n'avait jamais dévoilé l'extrême misère d'une vie qui tenait au fait qu'elle était orpheline. Toute sa famille — la fameuse tante Mimi exceptée — avait disparu pendant la guerre et ses parents, seuls rescapés de deux lignées totalement anéanties, rattrapés par l'effroyable destin, avaient eux aussi fini en fumée. Tante Mimi, qui pensait qu'elle allait passer incessamment l'arme à gauche, faisait le vide autour d'elle. Il n'était pas question d'acheter un livre : Pour quoi faire ? Où le mettre ? Elle tenait le même raisonnement pour les disques et pour les habits mais elle était plus généreuse pour le cinéma, denrée qu'elle consommait sur place et qui ne laissait de trace que dans l'imaginaire d'Aurore quand elle lui racontait les films à sa façon en en censurant l'amour pour n'y laisser que la guerre. Car tante Mimi qui avait fait un trait sur le passé — l'histoire l'avait bien aidée —, et qui avait détruit d'une façon irréparable pour Aurore jusqu'aux photos de ses parents, se préparait au néant de l'avenir.

Elle avait prévu son incinération et la dispersion de ses cendres non sans avoir prévenu Aurore de ce qu'elle aurait à faire le jour où elle découvrirait son cadavre : courir se réfugier à Saint-Sulpice. Saint-Sulpice était le dernier rempart contre la mort de ceux qu'elle voulait protéger. Recueillie pendant la guerre par les religieuses de Saint-Sulpice, la vieille dame pensait que la pieuse institution sauverait encore sa petite-nièce des bouleversements qu'entraînerait sa mort imminente : Tu n'as plus rien, tu n'as plus personne, tu n'es plus personne.

Cette attitude avait une incidence jusque dans les provisions qu'elle ne faisait pas de peur qu'il restât quelque chose dans le garde-manger qui devait, à l'heure de sa mort, être aussi vide que les tiroirs de sa commode, les rayons de ses armoires, les étagères de sa bibliothèque et les pages de ses albums de photos. Sans la nourriture épaisse de Saint-Sulpice, Aurore aurait vécu à la limite de la famine car tante Mimi, qui surveillait son diabète, interdisait la consommation de la moindre sucrerie et pesait le pain.

Au fond, ce qu'il y avait de bien dans cette enfance

que personne n'aurait voulu substituer à la sienne, c'est qu'Aurore avait dû tout inventer, les personnages qui lui servaient de compagnie, les phrases des livres, la musique des disques, les images du cinéma, jusqu'au goût des gâteaux. La réalité l'embêtait, elle ne peignait pas d'après le modèle. De la vie vraie, elle ne prenait que la première note et n'avait que faire de la partition. En écrivant, elle en était arrivée à un moment où il lui était plus difficile de côtoyer des êtres de chair et d'os pleins de contradictions et d'émotions, que ses personnages dont il suffisait de saisir la logique pour complexe qu'elle fût. Un entraînement journalier à ne plus savoir distinguer le réel du mensonge, le souvenir de l'invention, avait été son unique et formidable atelier et elle se trouvait dans le roman comme devant le champ de tous les possibles, avec bien sûr les manques et les insuffisances de sa personnalité et surtout de son corps qui ne tenait pas le coup à tout inventer comme cela ; elle se consumait. Pour réaliser son immense ambition, il lui aurait fallu une énorme carcasse. Elle se rappelait la Bible qu'elle avait découverte à Saint-Sulpice et son admiration d'enfant pour le travail de Dieu dont elle avait intimement compris le besoin de repos, le septième jour.

Si Saint-Supplice, sa langue fourchait toujours sur le mot, compensait le régime alimentaire de tante Mimi par d'énormes ratas, cette institution n'était guère plus généreuse sur le chapitre des livres. Ils restaient étroitement consignés dans un minuscule placard qui disparaissait — c'était là un signe — dans la tapisserie qui recouvrait le mur. Elle n'avait eu que des extraits pour apaiser sa faim, en terminale ceux consignés dans l'épais volume de la littérature du chanoine Desgranges et tout au long de sa scolarité, les résumés des œuvres du Castex et Surer.

Elle lisait ce qu'elle trouvait, des choses impossibles à comprendre à douze ou treize ans : une vie des abeilles, une histoire de l'abbaye de Port-Royal. De la vie des abeilles à la vie des abbesses, il n'y avait que quelques lettres, tout un roman. Elle lisait de la manière à la fois forcenée et minutieuse des prisonniers de guerre qui dégustent la moindre virgule, et qui, la nuit, font passer la page devant leurs yeux clos quand la nostalgie est trop violente. Elle n'avait jamais lu pour le plaisir ni seulement pour apprendre, mais pour lire. Lire pour lire, aussi concentrée sur ses extraits que sur les prières qu'elle devait réciter à la même époque parce que les uns comme les autres la récompensaient de mots nouveaux qui explosaient en images aussi folles qu'incongrues. Le dictionnaire qu'elle reçut en cadeau pour sa communion privée, qu'elle fit seule pour rattraper le retard qu'elle avait dans son éducation de nouvelle catholique, un soir de Noël à la messe de minuit, lui sembla le livre des livres. On lui avait aussi donné pour rompre le jeûne une tasse de chocolat, mais le goût sirupeux et amer du breuvage ne lui donna pas autant de plaisir et l'attacha moins à la nourriture que le dictionnaire aux mots.

Ce n'est que la dernière année, peut-être parce que la figure de Lola Dhol lui permettait de transgresser cet interdit, qu'elle osa entrer dans une librairie et acheter *La petite infante de Castille*. Était-ce une nouveauté ? La libraire décida pour elle comme une marchande de mode qui sait mieux que vous ce qui vous va au teint et vous l'impose avant même que vous ne l'adoptiez. Montherlant, grand styliste, y abusait des « comme » et des « comme si », que le professeur de lettres de Saint-Sulpice barrait dans les devoirs d'Aurore et dont elle devait plus tard, sans complexe mais non sans remords, faire à son tour une grande consommation. De *La petite infante de Castille*, elle passa de son propre chef aux *Jeunes filles*, titre innocent mais qui la conforta dans l'idée, très répandue et à peu près admise autour d'elle, que les hommes n'aimaient pas les femmes et le leur faisaient bien sentir de quelque manière qu'elles s'y prissent pour s'en faire accepter.

Lire n'était pas inoffensif, on le lui avait assez répété. Ces lectures trop marquantes, parce que exceptionnelles et tardives, lui avaient fait une si forte impression que, maintenant qu'elle se retournait sur son passé, elle les rendait en grande partie responsables de son mariage avec le Fonctionnaire, et de sa soumission aux mauvais traitements qu'il lui avait fait subir.

Parfois Aurore s'était demandé pourquoi elle avait survécu au grand ensevelissement du souvenir auquel tante Mimi s'affairait de façon passionnelle. Pourquoi celle-ci n'aurait-elle pas prévu que le jour de sa disparition, au lieu de se cacher et donc de survivre à Saint-Sulpice, Aurore boirait le contenu d'une fiole, et s'étendrait bien sagement sur son lit en attendant que la mort vienne la chercher elle aussi ? Aurore avait un tel sens de l'obéissance, un si faible appétit de vie, elle avait reçu une telle préparation à l'au-delà qu'elle ne se serait pas opposée à la volonté de tante Mimi d'en finir une bonne fois pour toutes. À la place de quoi, tante Mimi l'avait mariée.

C'était un jeune homme qui venait de réussir un concours des Affaires étrangères et qui voulait éviter de partir pour l'Algérie. Aurore ne devina rien des tractations d'un mariage de convenances et se laissa faire la cour par un garçon qui se prenait pour Marlon Brando. Il adorait Lola Dhol, sa fantaisie, ses corsaires en Vichy, ses tee-shirts rayés. Il achetait les livres qu'elle lisait, les cheveux au vent, sur une plage de Normandie et fredonnait les chansons un peu cyniques qui avaient fait aussi de Lola Dhol une chanteuse. Dans leur couple, chacun regardait son acteur fétiche. Comme des anges gardiens, ils leur montraient les gestes de l'amour. Ils se faisaient du cinéma.

Aurore débarqua un jour de juin, gare d'Austerlitz, avec une valise trop grosse pour leur courte rencontre. Il avait une petite décapotable où ils eurent du mal à caser la valise. Il la saoula de bruits, de mots, de musique, d'expositions et d'opinions tranchées, concluant tout ce qu'il lui disait et lui montrait par : Une jeune fille doit aimer cela, non ?... Lui en faisant l'obligation, à moins qu'il ne voulût vérifier point par point, brillant, à l'aise, définitif, son manuel de séducteur pour jeune fille de province. Il lui porta la dernière estocade en l'invitant à la piscine Deligny. Elle alla chez une corsetière faire l'emplette d'un affreux maillot de bain à rayures qui était censé augmenter ceci, réduire cela, mais qui la saucissonnait, la compressait, la gonflait d'une énorme poitrine qui ne voulait pas sécher.

Quand il sentit qu'il avait ferré un poisson qui ne se décrocherait pas de sitôt, il se lança dans des figures compliquées destinées à assurer son emprise. Il ne tarda pas à lui signifier sa définitive infériorité. Esprit, corps, relations sociales, études, rien ne marchait pour Aurore et cela lui donnait un petit air absent, une sorte de réflexion grave qui troublait son visage et masquait sa beauté. Il la trouvait idiote et s'en réjouissait. Il la trouvait jolie mais en ne lui faisant pas l'amour il lui faisait comprendre qu'elle n'était pas vraiment attirante.

Elle se rappelait toute une époque de sa vie où elle se relevait du lit conjugal triste et abattue, les larmes aux yeux. Des trois ans qu'avait duré leur mariage elle ne gardait pas un souvenir heureux. Pas un voyage, pas un repas qui ne se soit mal terminé, ou du moins terminé à son désavantage à elle. Toujours sa faute. Il l'avait prise en grippe.

Il la quitta pour rejoindre un poste en Extrême-Orient. Peut-être eut-il pour elle, les valises rassemblées dans l'entrée, le taxi devant la porte, le premier geste d'amour. Il la prit dans ses bras et lui caressa la tête. Comme un chien, pensa-t-elle, comme un chien ! Et qu'il la caressât ainsi comme un animal, pas comme une personne, l'avait apaisée. Il peut être bon, se disait-elle, doux, affectueux. Il peut y avoir de beaux jours avec lui et de belles nuits près de lui et l'espoir resurgissait de le garder quand même. À condition d'être un chien, se répondait-elle, et du coin de l'œil pendant que sa main passait et repassait dans ses cheveux, elle regardait la pièce qu'ils avaient quittée, les papiers épars, les livres ouverts, tout ce qui prouvait qu'elle n'était pas un chien, et elle soupira.

À cette époque Lola Dhol était partout, sur les affiches, dans les journaux, dans les magazines. Elle était devenue l'égérie de la mode et de la beauté modernes. Et Aurore, en la voyant un après-midi dans un film, éclata en sanglots sur sa vie brisée avant d'avoir commencé, sur sa solitude, sur sa peur irrépressible des hommes. Devant Lola si belle, si forte, à qui tout réussissait, elle mesurait tout ce qui lui manquait. Elles étaient pourtant semblables. En sortant du cinéma, elle se dit qu'elle n'irait plus la voir. Elle avait tenu parole. Et puis la vie est la vie, le nom de Lola avait peu à peu disparu des écrans, et celui d'Aurore commençait à y paraître, bien modestement par rapport à l'actrice, mais régulièrement, dans des documentaires.

Elle était une femme douce et fidèle qu'un homme avait contrainte, de désamour en divorce, à vivre à cloche-pied. Pendant des années, elle traîna cette histoire avec elle, s'appliquant à être cette femme indépendante qu'il avait souhaité qu'elle devînt. Son travail l'occupait beaucoup, le repérage de documentaires animaliers l'envoyait aux quatre coins du monde dans des pays qui se ressemblaient tous. Là-bas pas de téléphone, pas de sonnerie à la porte, pas de courrier. C'est-à-dire qu'elle mourait dans l'attente du téléphone, du courrier et de la sonnerie. Le Fonctionnaire ne l'appela jamais et sa correspondance se réduisit à une lettre par an, et même à une période à une lettre en deux ans, très courte. Il lui réclamait des photographies. Elle rangeait ses lettres dans son sac à main et ne fut pas très honnête avec ceux qui la photographiaient pendant ces années-là. Derrière l'appareil, elle regardait son ex-mari avec le sourire heureux de Lola Dhol. Un jour, elle découpa dans un vieux *Cinémonde* acheté sur les quais la photo d'une starlette pour camionneur et la lui envoya en guise de meilleurs vœux. Il lui répondit par retour du courrier : Pourquoi es-tu si violente ?

Lola s'était approchée du mur où étaient disposées les photos. C'est le Grand Oracle, dit Babette, croyant que Lola ne le reconnaissait pas. Mais le portrait du Grand Oracle était affiché dans toutes les universités que Lola avait fréquentées. Virginia Woolf et le Grand Oracle composaient un couple étrange qui indiquait que l'on était dans le monde de la littérature et que l'on fixait la barre très haut. Mais dans la cuisine de Gloria, le Grand Oracle était apparié avec elle, Lola, et c'était sa photo qu'elle ne reconnaissait pas. Elle ne savait pas si elle avait été tirée d'un film ou s'il s'agissait d'un cliché de photographe, dans ce cas, elle ne se rappelait plus le photographe.

À peine pouvait-elle, à la dureté des traits, à la bouche fermée, situer l'époque. C'était il y a dix ans, peut-être plus, en tout cas au moment où elle s'était reconvertie au théâtre, alors c'était il y a quinze ans déjà, quand elle jouait *Maison de poupée*. Le cinéma ne la voulait plus et elle avait transformé cet échec en volonté personnelle d'aller vers un art plus authentique. Elle allait jouer en norvégien dans le théâtre familial.

Grâce à cette histoire, son agent avait encore pu obtenir quelques articles dans la presse, pas en première page, mais ici et là, avec — en suppliant — une photo, celle qui était sur le mur, pour montrer son changement, sa nouvelle vie de rigueur au service du grand art. Elle allait participer à la grand-messe ibsénienne que ses parents servaient chaque année en début de saison. Un public fervent d'initiés les attendait, qui connaissait la partition et qui applaudissait avant et après les morceaux de bravoure.

Lola donnait la réplique à son père qui avait vieilli dans le rôle du mari mais si imperceptiblement à chaque représentation que le public, dans l'extrême familiarité qu'il avait du rôle, le trouvait de mieux en mieux. Elle remplaçait sa mère à laquelle tout le monde était si habitué qu'elle était devenue LEUR Nora. Lola dérangea, son aura de vedette internationale l'écartait de ce qui était devenu un culte national et familial. On la compara à sa mère et ce n'était pas en sa faveur. L'actrice qui lui avait laissé la place à regret retira de la consternation d'abord muette du public une compensation qui la consolait de ce qu'elle vivait comme une usurpation.

Lola ne retrouvait pas plus sa place dans sa famille qu'elle ne retrouvait ses marques sur les planches. Prise entre la désapprobation de ses parents et l'hostilité du public, la scène devint le lieu de son sacrifice. Soir après soir, on l'y voyait trébucher sur le texte, s'emmêler dans son jeu, quêter désespérément l'appui d'un regard, le soutien d'une réplique qui meublerait une absence, un retard, un mot qui ne venait pas dans une langue qui lui était devenue étrangère. Ils la laissaient trembler, hésiter, hoqueter, s'égarer, agoniser comme une colombe qui tressaille en rendant l'âme. Le théâtre regardait mourir le cinéma.

Un soir, c'est sa mère qui reprit le rôle au pied levé. Lola, ivre dans la fameuse loge en forme de roulotte, entendit l'ovation du public. Il n'était plus question qu'elle remît les pieds au théâtre. Elle n'eut même pas à feindre une dépression nerveuse. Elle était si démolie qu'elle pensa ne jamais plus tenir debout. On la cacha. Les remous qu'avait occasionnés sa présence s'apaisèrent. Au-dessus d'elle, l'eau s'était refermée, pas une ride qui indiquât qu'elle était tombée au fond, une surface d'acier qui ne laissait passer ni la lumière ni le bruit ; une tonne de glace qui l'empêchait de respirer, une tonne de détresse et de honte. Elle était partie pour New York et personne ne s'était déplacé pour l'accompagner à l'avion, surtout pas sa mère qui était retenue par ses obligations théâtrales.

— Je me rappelle, dit-elle à Babette, j'étais à New York et il neigeait.

— Mais ce n'est pas toi sur la photo, trancha Babette, c'est Aurore !

— Aurore ? murmura Lola, toute décontenancée, et les murs de la cuisine tremblèrent comme si tout devait se décomposer, s'effondrer... Et moi, où je suis ? Se cherchant sur un autre mur, ne s'y trouvant pas, aussi désemparée que la fois où dans un aéroport, cherchant son reflet sur une glace, elle ne s'y était pas vue. C'est mon jour, se dit-elle, je ne suis plus sur les miroirs, je ne suis plus sur les murs, je ne suis plus sur les écrans. J'ai tué le photographe !

— Tu es ici, dit Gloria en ouvrant le tiroir de la table de la cuisine qui dégorgeait de paperasses diverses.

— Mais j'étais là, avant, dit Lola en désignant le mur.

— Oui, dit Gloria, mais maintenant je mets les écrivains avec les écrivains et les acteurs...

— Les écrivains, bien sûr, murmura Lola soudain perdue et elle cherchait dans la cuisine quelque chose à boire, quelque chose de fort.

C'est fou, ça, se disait Babette. Elle quêtait le regard de Gloria pour la prendre à témoin. Mais l'autre, l'air gêné, fouillait dans son désordre comme si la photo de Lola Dhol allait en surgir : Tiens, tu vois, tu es ici ! Elle se demandait, elle qui ne jetait jamais rien, si elle ne l'avait pas fichue à la poubelle. Déchirée, puis jetée. Tu sais, prévint-elle maladroitement, c'était pendant l'inondation ou pendant l'incendie, j'ai fait ce que j'ai pu.

Elle ne pense qu'à elle, elle ne voit qu'elle, constatait Babette. Elle avait prévenu Gloria de l'horrible narcissisme de l'actrice : Tu sais Lola, c'est l'histoire. Assez parlé de moi, parlons un peu de vous. Que pensez-vous de moi ? Et comme Gloria disait qu'elle exagérait, Babette lui avait démontré que la simplicité de Lola tenait à l'habitude qu'elle avait d'être le centre de tout et qu'elle maîtrisait cet intérêt obsédant en faisant comme si elle ne le remarquait pas. Elle excluait le monde autour d'elle. Elle faisait mine de ne s'apercevoir ni des regards ni des sourires mais elle n'était jamais seule. Dans sa tête la foule de ses admirateurs était toujours présente. Nul doute qu'elle ait traversé tout le colloque en croyant qu'elle en était l'unique attraction alors qu'elle n'était qu'un avatar de la charité conjuguée de Gloria Patter et d'autres bonnes filles de son espèce qui payaient hors de prix la médiocre prestation de l'ex-star, les lectures monocordes de sa voix rauque et déshabitée.

Babette sentait monter en elle une rage vengeresse comme chaque fois qu'elle croyait qu'on voulait la rouler. Elle se trouvait investie presque malgré elle de la mission de faire éclater la vérité. Dans toute l'université, on ne connaissait personne d'aussi habile à démêler les excuses embrouillées des candidats, les tests trafiqués, les curriculum magouillés, les mentions surévaluées, les articles EMPRUNTÉS. L'obligation de la vérité s'emparait d'elle. Survoltée, elle démolissait les fragiles échafaudages, confondait les coupables, exigeait des aveux. Ils me prennent pour qui ?

Elle avait envie de mettre la star devant son néant, sa beauté détruite, son talent — en avait-elle jamais eu ? — disparu ; et tant qu'à faire de jeter dans le même sac Aurore, la BÉATE avec son air de ne pas y toucher, son allure de bourge et son accent français. Son apparente sérénité dissimulait cette rapacité commune aux écrivains quand il s'agit de leurs livres. Ils sont libérés de tout parce que enracinés à chaque page, entre les petits signes noirs qui marquent leur territoire.

Un acteur il faut le voir sur un écran, un écrivain il faut le lire. Côtoyer un écrivain en chair et en os la mettait mal à l'aise. Elle se rappelait ce conseil du Grand Shakespearien : les écrivains, il les faut morts. Elle pensait que non seulement il les fallait morts, mais que leur œuvre, dégagée d'eux-mêmes, reposât à jamais anonyme. Ce culte vivant qu'organisait Gloria était inutile et répugnant. Et son regard rencontrant enfin celui de Gloria : Eh là ! Gloria, réveille-toi !

Lola, qui avait trouvé dans un placard le rhum réservé à la pâtisserie et qui le buvait avec du jus d'orange, examinait la photo d'Aurore. Elle se demandait comment elle avait pu se tromper. Elle comprit soudain qu'Aurore lui ressemblait.

— C'est TA photo, dit-elle à Aurore qui venait d'entrer. C'est ta photo. Elle lui rendait à contrecœur quelque chose qu'elle lui aurait pris par inadvertance.

Lorsqu'elle traversait le hall de la maison d'édition où on affichait à chaque saison les visages des écrivains dont le livre paraissait, Aurore ressentait une gêne obscure et douloureuse. Outre qu'ils étaient abominablement nombreux, ils demeuraient encore plus anonymes que leurs livres scellés sous leurs couvertures uniformes. La photographie ne leur donnait pas d'identité. On aurait pu intervertir les clichés, tous du même format, pris sous le même angle, dans la même pose symbolique, la main sous le menton. Un tirage volontairement sombre accusait leurs traits comme si l'encre dont ils avaient noirci leurs livres suait sur leurs visages sans expression. Bienheureux encore que l'on ne jugeât personne sur la mine comme sur ces photos anthropométriques placardées sur la porte de l'aéroport de Santarém devant lesquelles Aurore s'était arrêtée. Elle s'était demandé si elle aurait été fichue d'en reconnaître un seul : tous pareils !

Ce hall de marbre était funèbre. Les visiteurs baissaient la voix comme dans un columbarium et se distrayaient à lire les noms sous les visages. Aurore songeait aux photos du défunt que les familles aimantes font incruster sur la tombe dans un petit médaillon d'émail à l'épreuve des intempéries : un jeune soldat, un notable quinquagénaire ou une jeune femme à lunettes. Le mort continuait à vieillir, démodé ou ridicule, sur le chemin de l'immortalité que le cliché voulait pourtant lui faire atteindre. Quant à l'éternité, Aurore pensait que les croix plantées en quinconce sur les paysages infinis des cimetières militaires, que les cailloux que l'on pose sur les tombes juives, y disposaient plus naturellement. La poussière, la cendre. Tante Mimi avait raison et Aurore aimait regarder le feu dans la cheminée.

Pour sa première photo d'écrivain, elle avait subi la lumière dure d'un jour de neige qui l'avait statufiée. Elle était passée raide à la postérité comme ces corps d'alpinistes tombés dans les crevasses et que le glacier rend quelques siècles plus tard sans que le temps, la mémoire aient pu s'appliquer à les effacer, puis à les faire disparaître. Aurore, figée et morte dans le ventre du glacier de la maison d'édition.

Derrière son appareil, le Photographe lui expliquait combien il était difficile de photographier les écrivains avec leurs visages mous qui disparaissent, et leurs yeux vides qui n'accrochent pas. Ils fuient, disait-il, mais ils ne s'échappent pas, ils s'évanouissent et après, sur la photo, si on ne la durcit pas, il ne reste qu'une apparition fantomatique, une aura qui laisse des taches blanches dans les journaux avec des trous noirs à la place des yeux et du nez.

Aurore s'accrochait pour rester là, elle se retenait à l'image pour ne pas disparaître comme les autres. Les dents serrées, elle fixait l'objectif.

Ce qui est marrant, racontait le Photographe, ce sont les bonnes femmes qui jouent à la star. Elles ressemblent aux femmes qui connaissent l'amour trop tard et qui ont tant de jouissance à rattraper qu'elles balancent tout par-dessus les moulins. Elles jouent aux belles et le temps d'une photo, mettent le paquet. Aurore sentait qu'elle décrochait, ne voulant pas y mettre le paquet. Elles étalent leurs cheveux sur les épaules, gonflent la bouche, c'est leur sexe qu'elles exposent, à ce moment leur bouquin elles s'en tapent. Elles ouvrent leurs robes, dégrafent leurs soutiens-gorge, tirent sur l'élastique du slip. Elles s'étalent sur la photo, comme une pute dans sa vitrine. Elles sont répugnantes, disait-il. Plus elles sont offertes, plus elles aiment leur photo. Il faut les voir au-dessus des planches, à se reluquer. Aurore avait complètement décroché mais cela n'avait pas d'importance, le Photographe photographiait la neige. Elle n'était qu'un prétexte à un jeu de lumière difficile auquel elle prêtait, ombre et lumière, par hasard, son visage, ses yeux fixes, sa bouche sans sourire.

Ultime conciliation, pour lui prouver qu'elle comptait, pour lui dire qu'elle existait, pour qu'il la vît enfin, elle avait demandé au Fonctionnaire qui était de passage à Paris de venir l'aider à choisir les épreuves. Il était si ostensiblement en retard qu'elle ne savait plus quoi inventer pour calmer le Photographe qui s'impatientait, et puis, quand il arriva, il se mit à feuilleter le dossier à toute allure. Il disait : Pas celle-là, la bouche ; pas celle-là, les yeux ; pas celle-là, le menton ; pas celle-là, le sourire. Aurore était gênée pour le Photographe qui avait attendu et qui subissait la critique définitive de clichés dont pour une fois il était satisfait parce qu'ils ne ressemblaient pas aux autres. Quand ils eurent fini, sélectionnant en désespoir de cause cette photo qui se trouvait sur le mur de Gloria, il les avait quittés brutalement en faisant claquer la porte. Elle s'était excusée pour l'attitude du Fonctionnaire.

— Mais ce ne sont pas mes photos, ce n'est pas moi, c'est vous que ce type n'a pas cessé de critiquer.

Elle regardait le Photographe les bras ballants, les yeux grands ouverts, en proie à la révélation de son malheur, ressemblant en vrai aux photos de détresse muette qu'il avait tirées d'elle. Après toutes ces années, elle venait de comprendre que non seulement le Fonctionnaire ne l'aimait pas, qu'il ne l'avait jamais aimée, mais qu'il la haïssait pour chaque trait de son visage, pour chaque grain de sa peau, pour chaque cil de ses yeux. Elle avait seulement répondu : — C'est mon mari.

— Ah ! excusez-moi, fit le Photographe et puis il lui dit que si elle le désirait, ils recommenceraient les photos. Elle se précipita dans ses bras.

Il devint son amant sur le divan du studio, au milieu des projecteurs, des fils qui traversaient le plancher dans la poussière baignée par l'odeur de la pellicule, dans une hâte violente qui était la négation de tout ce qu'elle avait lu au sujet de la séduction amoureuse, dans une excitation désespérée. Les séances de pose en avaient condensé tous les préliminaires et toutes les approches. Pour l'avoir longuement étudiée dans son objectif, le Photographe semblait avoir une connaissance innée d'Aurore. Elle n'avait pas eu besoin de lui expliquer qu'avec ce mari-là, elle ne savait toujours rien de l'amour, pis, qu'elle était empêchée, retenue, contrainte, coupée de ses désirs, ignorante de son corps. Il fallait un tremblement de terre pour que rompant tous les fils qui la retenaient, toute la honte, la peur de mal faire, l'angoisse de ne pas savoir, elle pût se jeter dans des bras inconnus.

— Fais attention, lui dit-il en la raccompagnant à la porte. Fais très attention à toi.

Dans la rue, elle ne reconnaissait plus rien et s'arrêta pour se reprendre devant une vitrine. Elle ne voyait rien derrière la vitre, juste dans le reflet sa silhouette obsédante qui lui cachait l'étalage, le fond de la boutique. Elle était soudain devenue opaque et comme dans un cauchemar son corps, en se matérialisant, occupait tout l'espace. Mais ce fut le temps d'un vertige, et elle regarda avec avidité et reconnaissance apparaître dans l'étalage des sacs en velours et des écharpes de soie. Elle se demandait si le Photographe lui avait dit de faire attention par une intuition très particulière ou s'il disait cela à tous les visiteurs pour leur signaler le carrefour, au coin de la station de taxis : Allez au pas, Attention piéton, Vous n'avez pas la priorité, Traversez en deux fois.

Ils n'avaient rien en commun. Avec son attirail de soldat de pacotille, sa parka kaki bardée de rouleaux de pellicules, ses appareils en guise de kalachnikov, il n'était pas du tout l'homme avec lequel elle avait cru faire l'amour. Elle sentait bien qu'elle ne lui plaisait pas non plus. Affalé sur son lit, il se plaignait du froid de l'hiver, de l'exil de la vie. Il se voyait à Beyrouth et on l'envoyait photographier des écrivains, des demi-stars qu'une photo devait faire sortir du néant. Il rêvait chars, visages d'enfants en pleurs et il passait son temps avec des nanas qui, après s'être poudrées, vérifiaient leur brushing cartonneux et s'installaient avec aussi peu de pudeur devant son objectif que dans une cabine de photomaton !

Elle se demanda si le Fonctionnaire n'avait pas eu raison, une fois de plus, de trouver les photos hideuses. En feuilletant les clichés, elle se trouvait moche, hagarde et désemparée avec aussi peu de grâce qu'un papillon épinglé vif, avec autant de souffrance qu'un chat sous un casque d'électrodes, qu'un chien aux yeux phosphorescents de peur. C'était ce qu'on appelait une photo d'écrivain et elle mesurait la distance qu'il y avait avec une photo d'actrice et elle comprenait que les femmes voulussent être sur le papier reines d'un jour, plutôt actrices qu'écrivains

— C'est une belle photo, dit Babette

— C'était un bon photographe, répondit Aurore.

Il s'était fait tuer à ce carrefour où il lui avait demandé de faire attention. Quand elle l'apprit, il était mort depuis longtemps. Elle regretta de ne pas lui avoir demandé si les écrivains hommes s'emparaient de leur image avec la même virulence que les femmes. Elle se rappelait le carrefour et l'épaule qu'il avait saisie pour la tourner vers lui et lui donner un baiser. Et ce mort prenait moins de place que ce mari vivant quelque part. Elle avait l'habitude du deuil.

— C'est une belle photo d'écrivain, reprit Babette en s'adressant à Aurore sous le regard tendu de Lola. Elle ne te ressemble pas mais elle ressemble à tes livres — et quêtant son approbation — non ?

Aurore pensait au dernier dîner à Paris chez un professeur de médecine où elle avait accompagné le Médecin dans sa campagne académique. Elle se rappelait la maîtresse de maison, attentive à ce que tout se fasse dans le bon ordre, l'œil sur la pendule dans l'attente des derniers invités puis sur la difficile et minutieuse ouverture du champagne par le maître de maison. Alors que la conversation s'organisait un peu, on passa à table où chaque plat interrompit à son tour la discussion qui s'était orientée sur les chiens.

Aurore s'était crue autorisée à intervenir en servant à ses interlocuteurs l'expérience qu'elle tenait de Leila et de Bobinette, une grande amie et un teckel, mais un teckel qu'elle caractérisait aussitôt en le disant croisé de basset artésien et de fauve de Bretagne. Cela égara l'assistance qui dans ce milieu connaissait surtout les labradors. Suivirent des considérations sur les bâtards, reconnus avec une belle unanimité comme les plus doués, les plus intelligents de la gent canine. Le Médecin apporta, comme il se doit, la touche d'esprit en confondant chien et enfant et en marquant l'effet d'un lapsus voulu — Je n'aime pas les enfants — par un embarras affecté qui fit beaucoup rire, et qui décida à ce moment-là dans l'esprit de chacun que c'était un agréable dîner.

C'est donc sans méfiance qu'aux liqueurs Aurore essuya les salves du maître de maison sur le petit canapé qu'ils partageaient sous le portrait en pied d'un avocat général : Il est bien affreux votre dernier roman !

Il y avait belle lurette qu'elle ne défendait plus ses livres, ni en se rebellant comme elle l'avait fait au début ni en se rebiffant avec humour. Il l'avait trouvé AFFREUX, elle le lui concédait, elle-même le trouvait HORRIBLE.

— Je ne sais pas ce que tu veux dire, répondit-elle à Babette, par RESSEMBLER. Parce que je ne sais pas à quoi cette photo ressemble.

— Elle est dure, répondit Babette.

— Oui, acquiesça Aurore, dure ET TRISTE.

— Heureusement, dit Gloria, que TU N'ES PAS comme ça.

Aurore regardait à côté de la sienne la photo du Grand Oracle dont personne ne se demandait si elle était dure ou triste. C'était la photo du Grand Oracle voilà tout, la seule dont il autorisait la publication, celle qu'il envoyait à ses thésardes pour les inspirer, celle qui était reproduite dans le Lagarde et Michard du XXe siècle. Un écrivain, une photo. Un seul visage pour défier le siècle, un seul regard pour contempler l'époque. L'homme, désormais invisible, vieillissait dans une université de l'Oklahoma, ayant prophétisé la mort de la littérature française et l'avènement de la francophonie. Il avait organisé son immortalité.

— Mais tu es comme ça, non ? poursuivait Babette. Je ne crois pas à cette séparation entre l'écrivain et son œuvre, entre le fond et la forme, l'histoire d'un écrivain innocent de ce qu'il écrirait.

— Je ne suis pas professeur, répondit Aurore, fuyant le débat comme une scène de ménage qu'elle cherchait à éviter et qui se dessinait depuis le début, par sa participation même au colloque.

— Oh ! écoute, continuait Babette, tu ne vas pas nous la faire ! « À qui profite le crime ? À qui profite l'écrit, à qui profitent les cris ? » C'est toi qui choisis d'écrire ce que tu décris ou de décrire ce que tu écris. Par exemple, la mort de la bête.

— Elle ne choisit pas, intervint Gloria, ça s'impose.

— Elle choisit les mots pour le dire, non ?

— Oui, répondit Aurore.

— C'est très dur, cette scène, dit Lola en se souvenant de sa lecture de la veille et combien il avait été difficile d'emprisonner, de dénerver le texte, de l'aplatir par une lecture monocorde qui devait détourner l'émotion sur la voix.

— Oui, dit Aurore... Et elle se rappelait, mais lointaine, étouffée, presque insensible comme une cicatrice, sa douleur d'enfant devant l'animal qu'on lui ordonnait de tuer. Coupable d'en avoir provoqué la sentence, reconnaissant sa justesse car ce n'était pas par cruauté qu'on lui commandait de l'achever mais pour interrompre des souffrances intolérables dont elle était seule responsable. Et pourtant tout son être se révoltait à l'idée de tuer et tout le temps qu'elle mettait à faire SES SIMAGRÉES amplifiait des souffrances qui révoltaient l'assistance qui la suppliait d'en finir, enfin.

Mais madame, IL FAUT EN FINIR, lui avait dit le vétérinaire pendant que, sa bouche sur les lèvres noires du petit chien, elle espérait lui manger sa souffrance, lui avaler sa douleur. Et devant la bête à tuer, son corps d'enfant n'avait rien trouvé d'autre que de sauter en l'air, de sauter encore, de sauter coudes au corps, bras serrés pour se donner plus d'élan : CESSE DE TRÉPIGNER ! Mais elle ne trépignait pas, elle sautait pour s'échapper parce que les issues étant gardées, prisonnière du cercle des adultes qui assistaient à la scène, elle voulait s'enfuir par le haut, par le toit, par le ciel. Puis avisant la jupe de sa mère qui présentait au milieu des jambes d'hommes une faille, elle s'était précipitée dessus et l'avait empoignée jusqu'à la déchirer, la battant, la cognant, lui fichant des coups de poing, aussitôt ramenée au centre de l'arène devant la bête dont elle avait écrasé la tête avec le talon et qui tressautait des mouvements spasmodiques de l'agonie. Allons, encore un coup, lui avait dit sa mère pour l'encourager : ELLE EST PRESQUE MORTE.

— Oui ? quoi ? lui demanda Babette.

Elle cherchait à s'échapper mais Babette, Gloria et Lola, les yeux fixés sur elle, attendaient sa réponse. Son regard qui fuyait se posa sur la boîte, dedans la bête ne bougeait plus : ELLE EST PRESQUE MORTE, dit Aurore.

Gloria donna quelques pichenettes contre le plastique pour faire réagir le rat et, ne voyant rien bouger, chercha autour d'elle un objet pour écarter la paille. Elle saisit une cuillère et à l'aide du manche souleva la paille. Dessous, le rat était dans une vilaine position qui le désarticulait : Eh ! bouge un peu, commanda Gloria en l'effleurant avec la cuillère. Et comme il ne réagissait pas, elle y alla carrément en piquant d'abord puis en appuyant le manche sur le ventre. Elle se servait de la partie creuse de la cuillère pour soulever la bête : Bon Dieu de bon Dieu, dit-elle, il est mort !

La nouvelle fut reprise en chœur par toutes les autres : Il est MORT ! Elles se ruèrent autour de la boîte mais au moment où elles allaient à leur tour constater la mort du rat, il frémit et ramena une patte contre son ventre. Elles se mirent à crier : IL N'EST PAS MORT, IL N'EST PAS MORT ! avec cette frénésie hystérique que l'on prête aux femmes qui voient filer une souris dans leurs jambes. De saisissement, Gloria retira la cuillère et le rat bascula sur la paille où il continua de bouger spasmodiquement, d'un mouvement qu'Aurore reconnaissait et qui la figea d'horreur.

Le destin la poursuivait dans ce lieu protégé entre tous qu'est une cuisine peuplée de femmes, au centre exact de l'Amérique, dans un État réputé paisible, par une matinée de printemps dans une petite ville de rêve qui fêtait Pâques. L'écriture finissait toujours par se réaliser. Aurait-elle inventé la mort du rat ? Parce qu'elle l'aurait écrite, elle deviendrait réelle dans les termes mêmes qu'elle aurait choisis pour la dire et cette réalité provoquée l'emporterait sur toutes les autres.

— « Jeu de mots, jeu de mort », dit Babette.

— Leiris ? demanda Gloria.

— Non, Lavie, comme ça se prononce, répondit Babette.

En face, devant la piscine le Pasteur lisait à ses ouailles : « Dans l'entrée du tombeau, les femmes virent que la pierre avait été bougée, elles reculèrent de terreur. » Une petite fille qui avait mis sa plus belle robe d'organdi jaune, qui avait tremblé toute la matinée de peur que le temps ne fût pas assez chaud pour lui permettre de la porter bras nus ; une petite fille qui avait affirmé qu'elle avait TROP chaud pour éviter d'enfiler sur sa merveille jaune un vieux manteau d'hiver ; une petite fille qui s'était levée trop tôt pour mettre sa robe de fête, qui n'avait pas voulu déjeuner pour ne pas la salir, qui avait tournoyé pour mesurer l'ampleur de sa jupe ; une petite fille qui s'était disputée avec ses frères dans l'auto qui les conduisait à l'église ; une petite fille se réveillait soudain aux paroles du Pasteur et se disait dans sa tête : Pourquoi elles ont peur, CHRIST EST RESSUSCITÉ ! Elle reprenait d'une voix joyeuse et claire avec tous les fidèles : Christ est ressuscité, Christ est ressuscité. Mais elle le croyait, elle, de toute la force de sa joie.

Middleway, Kansas, était ce paquet emballé dans des papiers de soie aux couleurs suaves dont Aurore avait défait une à une les enveloppes, pour trouver l'atroce cadeau d'un souvenir inaltérable. Le petit cadavre s'était trimbalé de livre en livre pour la poursuivre ici, comme une menace de mort. Il m'a donc retrouvée, se dit-elle.

— « Tout autour du chaudron tourne pour y jeter tour à tour intestins empoisonnés », claironna soudain Babette et à l'adresse du public, ces pauvres femmes autour de la table, elle dit triomphalement, comme on rive son clou à une assemblée ignare : *Macbeth*, acte IV, scène I.

— « Double, double, puis redouble, le feu chante au chaudron trouble », répliqua Lola dans un anglais clair qui atténuait la raucité de sa voix ou plutôt qui l'exprimait plus naturellement que le français.

Babette étonnée lui demanda si elle connaissait la pièce.

— Je l'ai jouée, répondit Lola.

— Lady Macbeth, vraiment ? interrogea Babette comme si elle avait du mal à y croire.

— Il n'y a pas tellement d'autres rôles pour moi dans la pièce, et le souvenir des cinq représentations londoniennes et de la critique qui avait fait baisser le rideau, lui revint amer. Pourquoi l'utilisait-on à contre-emploi, et pourquoi acceptait-elle ce genre de défi ? La salle était un trou noir qui lui donnait le vertige. Elle mettait sa mémoire à l'épreuve, elle cherchait à se rappeler ce que les sorcières jetaient dans le chaudron.

— Un filet de serpent, une peau de lézard, un doigt de grenouille, un œil de hibou, répondit Babette ravie.

— Un croc de chien, ajouta Lola, une dent de loup.
— Une main de singe, essaya Aurore.
— Vous ne voulez pas un rat aussi ? interrompit Gloria rigolarde, que j'y flanque le mien !

Babette descendit dans le basement pour y prendre ses affaires de toilette. Sous ses pieds, l'escalier, un simple escabeau de bois, tremblait. Devant elle, c'était le trou noir. Elle tâtonnait pour chercher l'interrupteur de l'unique ampoule qui éclairait la pièce, lorsque derrière elle Gloria alluma brutalement. La lampe nue au bout d'un fil émit une telle luminosité que Babette, éblouie, porta la main à ses yeux pour les protéger. Gloria la bouscula avec impatience au risque de la faire tomber et se dirigea vers la machine à laver dont elle ouvrit la porte. Le linge, trop essoré, s'était ratatiné. Gloria le secouait vigoureusement pour le défroisser avant de l'étendre. Babette considérait le tas de chemises mouillées du Machiniste. Tout féministe qu'il était, il continuait de faire laver son linge par sa femme : Elle aime ça !

— Je lave mais je ne repasse pas, le piège c'est le repassage, expliquait Gloria en jetant les chemises sur le fil d'étendage.

C'est DEGUEULASSE, se disait Babette. Elle pensait à sa

machine à sécher le linge et aux soins infinis qu'elle prenait chez elle pour les objets et elle en concevait de l'irritation pour la brutalité de Gloria, sa rudesse, son manque d'application dans tous les domaines et cela la fit songer au plagiat : Ah ! il va être beau son livre concocté par ordinateur et traduit sur traitement de texte ! avec des passages arrachés tout vifs qui ne cicatriseraient jamais. Cette razzia, ce pillage, lui semblait aux antipodes de ce qu'elle imaginait de la longue conception d'un roman, de son mûrissement, de son écriture posée, réfléchie, et sans cesse reprise et corrigée. Un livre aussi apocalyptique que le basement, avec son linge mouillé, sa poussière, ses jouets cassés et ses meubles au rebut...

— ... et ton digest, ton remake, ton compact, enfin ton MACHIN, demanda-t-elle, tu comptes le publier ?

— Bien sûr, répondit Gloria.

— Mais comment vas-tu te sortir de cette contrefaçon ?

— Il n'y a pas de contrefaçon, dit Gloria, mais une TRADUCTION.

— Comme tu y vas ! s'exclama Babette.

— En américain, dit Gloria, Aurore Amer ça se dit Gloria Patter.

Babette sourit. Elle n'avait jamais pensé à la symétrie des deux noms, encore que la superposition d'Amer sur Patter ne conduisît pas à grand-chose de significatif. Elle crut que Gloria plaisantait. Mais elle la vit qui lui faisait face avec tant de haine concentrée qu'elle en ressentit une peur physique.

— Écoute, dit Gloria, si tu avais besoin de dollars et

que tu en trouvais un gros tas sur le trottoir, qu'est-ce que tu ferais ? — Je les prendrais, dit Babette. — Et si tu avais un besoin urgent d'une voiture et que tu en trouvais une ouverte, avec les clefs sur le contact ? — Je la prendrais, dit Babette. — Eh bien ! moi, j'ai besoin d'un livre et je le prends.

Babette regrettait déjà pour les dollars et la voiture. Car honnête comme elle était elle aurait rendu l'argent et rapporté la voiture avec le plein d'essence. Elle se demandait comment Gloria qui était familière des mœurs littéraires pouvait penser, ne serait-ce qu'une seconde, qu'un roman ne fût que l'assemblage de quelques feuilles jetées à tous vents, et qu'un livre attendît son plagiaire, comme une voiture abandonnée la clef sur le contact.

Et dans ce cas particulier, il se pouvait même que Gloria se trompât sur les réactions d'Aurore Amer. Elle avait constaté bien des fois que les êtres qui semblaient détachés de tout rassemblaient leur désir de possession sur un détail et qu'alors ils mettaient un acharnement inouï à ne rien lâcher. Si elle avait un jour vent du scandale, Aurore Amer n'était pas femme à mettre l'affaire en justice et à traiter par hommes de loi interposés mais à se faire restituer chaque mot, chaque virgule, à aller les chercher elle-même où ils se trouvaient, dût-elle pour les récupérer éventrer sa meilleure amie.

Elle en avait eu l'intuition pendant la séance de lecture, lorsque Lola avait lu la mort de la bête. Elle avait alors regardé l'écrivain pour voir passer sur son visage une lueur de plaisir, l'ombre d'une émotion. Et ce qu'elle avait vu était assez effrayant. Sainte-Nitouche était aux aguets, postée à la sortie des mots, elle regardait la bouche de l'actrice avec un regard brillant de larmes retenues et ses lèvres bougeaient comme si elle récitait le texte pour le récupérer après qu'il eut été lu ou pis, comme si elle en comptait tous les mots pour que l'actrice n'en avalât aucun. À la fin de la séance, Aurore Amer n'était pas un écrivain comblé mais un diamantaire soulagé qui fermait boutique après avoir rangé ses bijoux dans un coffre.

— Ce n'est pas pareil, dit Babette.

— Qu'est-ce qui n'est pas pareil ?

— Le désir de livre, le besoin de livre n'a rien à voir avec une situation d'urgence matérielle. Un livre pas plus qu'un tableau ne se PRENNENT. Ce n'est plus un vol, c'est un viol et tu le sais très bien toi qui as travaillé sur la néantisation des femmes violées.

— Et moi, je ne suis pas peut-être une femme violée, dépossédée, anéantie, sans autre étiquette que cette identité américaine qui ne veut rien dire et dans laquelle tu es bien la seule à te reconnaître ! Je veux un livre qui dise ma naissance, je veux un livre qui dise mon enfance, je veux un livre qui dise que je suis quelqu'un quelque part.

Ici, dans cette cave, Gloria était capable de tout. Pour elle il n'y avait plus de limites, plus de bornes, plus de lois, plus de codes. Elle était sortie d'elle-même, ivre de puissance, intouchable, au sommet d'une passion à qui rien ne résiste et devant laquelle tout plie, tout se couche, tout recule. Babette se méfiait des métaphores qui expliquent les femmes par leur nature et la Nature, elle les trouvait démodées et susceptibles de ramener les femmes à une relation tellurique pour les écarter d'une organisation rationnelle de la pensée. Mais devant Gloria, elle pensait à une tornade, à un cyclone, à une tempête. Elle était cette vague que la lune déclenche, qui vient de l'océan, inverse le cours des fleuves et remonte les rives en emportant tout sur son passage. Babette avait toujours voulu garder une mesure, au moins celle de l'apparence d'une féminité qui protège des excès. Elle rassemblait les vêtements dont elle allait se couvrir comme autant de pièces grâce auxquelles elle allait contenir ou museler cette violence cataclysmique qui au-delà de Gloria la menaçait parce qu'elle était, comme elle, une femme puissante qui aurait pu balayer d'un revers de main les règles et les usages. Elle doutait cependant que Gloria la laissât faire. Dans le duo qu'elles avaient mis au point, elle tenait toujours la place en dessous, le rôle en retrait.

Gloria n'avait qu'à se pencher pour ramasser à pleines mains les avantages matériels et la bonne conscience que lui apportait son statut de femme et de Noire, de démocrate et d'anticolonialiste. Elle apparaissait et tout était dit. Qui lui aurait porté la contradiction ? Cela lui laissait intellectuellement un champ de manœuvre considérable car elle pouvait jouer avec certaines idées, employer certains mots — pour les réfuter bien sûr — qui auraient été couverts par les injures si, dans le même contexte, ils avaient été prononcés par une autre.

Babette se rappelait que Gloria s'était portée caution pour une congressiste européenne qui ne s'était pas embarrassée des précautions d'usage qui exigent que l'on déclare avant toute chose son innocuité et son appartenance à la ligne droite et pure. Elle avait longuement et dangereusement flirté avec la notion d'un PRIMITIVISME FÉMININ qui agaçait la sensibilité féministe des participantes. Un premier sifflet lui coupa la parole. Alors Gloria alla vers la congressiste décontenancée et déclara à l'assistance : Moi, Gloria Patter déclare être en tant que femme une primitive et par contrecoup revendique ma primitivité raciale. Je suis doublement primitive en tant que femme et en tant qu'Africaine. Et absolument primitive, je me situe aux origines du monde et de la vie. Tonnerre d'applaudissements. Mais la congressiste retira le mot primitif de l'allocution qui devait être publiée.

À cause de l'Algérie qu'elle situait pourtant mal sur le continent africain, la reportant plutôt vers le centre noir que sur sa côte blanche et plus au sud qu'au nord, Gloria avait mis Babette en position difficile. Dans un refus de lui accorder la parole du cœur, elle ne l'amenait que sur des chemins convenus à répéter derrière elle et avec elle les préceptes de son féminisme antiraciste. Réduite à un silence essentiel Babette étouffait, d'autant plus que l'autre parti qui équilibrait sa vie, celui de l'Aviateur, prenait une voie opposée, montrant que Gloria et tutti quanti avaient beau faire de l'esbroufe elles représentaient TROU DE BALLE, selon l'expression choisie de l'Aviateur.

Babette se demandait pourquoi chez sa belle-mère, elle se sentait si solidaire de Gloria et de ses copines agitées du bocal — ... ET DES FESSES, ajoutait l'Aviateur qui avait un long discours à servir sur les intellectuelles mal baisées — et pourquoi dans l'entourage de Gloria elle ne pouvait abandonner à son triste sort une Algérie française qui avait vécu et qui n'avait rien fait pour elle. Pourquoi surtout essayait-elle de convaincre encore Gloria qui n'avait toujours pas compris et qui ne voulait rien entendre ?

— Je prends la salle de bains, déclara Gloria.

— Moi d'abord, répondit Babette, je suis déjà en retard.

Combien de fois comme ce matin, dans l'imminence du départ, ne s'étaient-elles pas affrontées devant le lavabo de la salle de bains où elles se maquillaient maintenant l'une à côté de l'autre. Gloria essayait d'occuper le devant de la glace parce qu'elle était la plus petite, Babette tentait de l'en écarter parce qu'elle était myope, luttant des épaules pour se rapprocher, l'invectivant dans la glace. La détestant, mais laquelle ? Celle qui était à côté et dont chacune sentait la chaleur du corps, ou celle qui se trouvait dans la glace et à laquelle la violence verbale imprimait sur les lèvres une vilaine moue, ou l'autre soi-même qui vous apostrophait et dont on refusait le malheur. Cela se terminait par un brusque afflux de larmes dans les yeux de Babette qui l'obligeait à se remaquiller.

— Il y a eu des résistants en Algérie, énonçait Gloria du haut de ses certitudes.

— J'étais adolescente, répondit Babette.

— Et alors, il y avait des combattantes de seize ans.

— Des terroristes, oui, ricana Babette, se laissant enfermer par Gloria dans le rôle de raciste intolérante dont elle voulait pourtant se débarrasser. Des porteuses de valises, des poseuses de bombes.

Comment ne pas en vouloir au monde entier de cette jeunesse brisée, de cette enfance passée par profits et pertes qui ne laissait ni un chiffon, ni un jouet, ni un livre pour se la rappeler. Rien. Nada. Dans les vingt kilos pesés et repesés des bagages personnels attribués à chaque rapatrié — elle avait le mot en horreur — il n'y avait pas eu un gramme pour ses souvenirs personnels ; en revanche, décision de dernière minute, on avait emporté le couscoussier. Il avait échoué sur son lot. Malgré ses protestations, son père l'avait accroché à sa valise. Dépouillée de tout, elle avait fait gravement une dernière fois le tour de sa chambre pour l'inscrire dans sa mémoire, voir avec les mains, toucher la craquelure des volets en les fermant, s'enfoncer entre la chair et l'ongle les croûtes de la peinture grise, se blesser là pour emporter une infime douleur, une douleur de plus mais parfumée par l'odeur du figuier qui poussait contre le volet et par celle des lauriers-roses de la cour.

S'ils avaient eu l'illusion en partant de trouver une patrie, ils déchantèrent dès l'arrivée à Marseille. C'était pourtant la même mer, le même ciel mais à jamais ce ne fut le même pays. Il y avait dans l'étagement des maisons et des immeubles quelque chose d'étriqué et de vieillot, quelque chose de rance et d'amer, quelque chose de dur et de repoussant qui se reflétait dans les attitudes des gens qui les traitaient en étrangers, en quémandeurs, en pestiférés. Ils n'étaient pas du même monde.

Elle découvrit qu'ils n'étaient pas des Français, qu'ils avaient revendiqué d'appartenir à un pays qu'ils ne connaissaient qu'à travers des images d'Épinal, un pays en bleu blanc rouge qui ne ressemblait pas à celui dans lequel ils débarquaient. Elle découvrait trop tard qu'entre les Arabes et eux il y avait eu, dressées comme des murs d'orgueil, des images d'une histoire qui n'existait pas. Ils auraient dû, comme elle le pensait maintenant, se rassembler autour d'une réalité géographique bien plus évidente et palpable qui clamait son identité à travers tous les sens : il fallait juste ouvrir les yeux, les narines, sentir le vent de sable dessécher la peau ou au contraire ce froid humide de l'hiver méditerranéen qui dure et qui vous engourdit, les pieds gelés le matin sur les carreaux de faïence vert et blanc de la cuisine.

Ce fameux été 62, ils endurèrent la France entre Marseille et Avignon, puis entre Avignon et Port-de-Bouc où ils s'étaient égarés. Port-de-Bouc les renvoya à Toulouse. C'est de Toulouse qu'ils rejoignirent Bordeaux où ils s'imaginèrent sentir l'océan comme une odeur de liberté mais ce n'était que la respiration de la ville, l'asphalte mou, les rideaux de fer tirés, et les concierges des hôtels arrogants. Ils avaient choisi L'Oriental non seulement pour sa proximité avec la gare mais pour son aspect délabré, gage de bon marché. La misère faisait sa propre publicité. Du moment que c'est propre..., disait la grand-mère. Ce n'était pas propre et les femmes commencèrent par nettoyer pendant que les hommes faisaient un tour de ville pour acheter un journal. Babette se rappelait les matelas retournés, les draps examinés et lavés aux endroits douteux, le sol balayé, la poussière raclée entre deux bouts de carton, le journal qui fait office de pelle...

Babette avait tout de suite compris que s'ils restaient groupés dans cette troupe compacte de quatre femmes et de trois hommes, sept personnes à loger d'un coup, sept à nourrir, ils ne s'en sortiraient pas. Si elle avait voyagé seule, elle aurait trouvé une place dans le train. Une fille de seize ans, avec des cheveux sur les épaules, une taille mince et une grosse poitrine, trouve toujours une place assise. La nuit, un homme lui aurait proposé de s'allonger, le temps pour lui de fumer une cigarette dans le couloir, il se serait retourné quelquefois vers elle pour l'observer par-dessus son épaule. Elle l'aurait regardé entre les cils. Mais quelque porte qu'elle ouvrît, elle était la tête de pont d'une famille suante, désespérée et déglinguée qui faisait le forcing sur ses talons et essayait d'abord de caser des valises qu'ils auraient dû laisser au fond du couloir mais qu'ils charriaient dans un grand chambardement de peur qu'on ne les volât.

Elle aurait dû feindre de se perdre et les quitter à Marseille, prendre un train pour Paris, abandonner l'espoir du vent de la mer. Se boucher le nez comme lorsqu'on saute à l'eau et plonger les yeux fermés dans une France hostile, antinomique du pays d'où ils venaient. Un pays véritablement étranger ne lui aurait pas laissé le goût aigre de ce territoire vaguement cousin qui ne se rappelait plus à quel degré et avec qui les liens familiaux étaient rompus. De même que la mère protégeait la grand-mère, que la grand-mère s'inquiétait de la petite sœur — vous avez pas vu la petite ? —, elle avait pris en charge le couscoussier familial. Elle se souvenait que c'était aussi humiliant que d'exhiber un broc à lavement et que les frères avaient tour à tour refusé de se charger de l'énorme objet ventru. Babette l'avait accroché à la façon d'un sac à dos entre ses épaules pour pouvoir porter sa valise avec ses mains libres et puis tour à tour avec sa mère la valise de la grand-mère.

Elle pensait que le rapatriement aurait été moins dur sans le couscoussier, sans ce désir désespéré de la mère de croire qu'un jour, elle rebâtirait autour de lui un foyer. Il avait fallu qu'elle l'emportât avec de la sauvagerie dans le regard et une volonté absolue de ne pas céder sur ce point : J'abandonne l'Algérie, mais je ne lâcherai pas mon couscoussier ! Babette se l'était bravement arrimé sur le dos pour éviter la scène qui n'allait pas manquer de crever entre ses parents, les larmes de la grand-mère et les récriminations des frères. Elle se l'était ficelé sur les omoplates, parce qu'elle aimait sa mère et que d'une certaine façon c'était comme si elle la portait aussi.

C'est à Port-de-Bouc, quand le contrôleur leur expliqua en se moquant d'eux qu'ils étaient partis dans la mauvaise direction et que dans ces conditions le voyage durerait deux fois plus, et qu'il serait deux fois plus cher, que la vision que Babette avait du monde se transforma. Pour la première fois elle comprenait que la force et la compétence n'étaient pas du côté de l'homme et l'insuffisance du côté des femmes. Elle avait vu son père flanqué de ses frères se renseigner sur le quai de la gare de Marseille, puis, en l'absence de tout renseignement possible dans cette cohue, interroger longuement des voyageurs qui partaient dans le même sens, se faire des amis, reprendre espoir. Dans le train, il leur avait indiqué le parcours conseillé par un voyageur venu de Mostaganem, pris comme la vérité vraie au seul nom de Mostaganem. Babette était allée consulter la carte d'aluminium vissée au fond du wagon, elle remarqua que Port-de-Bouc se trouvait dans un cul-de-sac, en dehors de la transversale Marseille-Bordeaux. Mais à ce moment encore la parole et le jugement de son père avaient pour elle plus de crédit que la réalité d'une carte de géographie.

Le père Cohen était peut-être le plus fort de sa rue, le chef incontesté de sa famille, mais il ne savait pas prendre le train, il entraînait une famille suspendue à ses décisions dans un périple absurde dont le voyage ne fut que la première des péripéties. Il se trompait toujours, mais avec autorité, se faisant accompagner dans ses démarches par les deux fils chargés à l'extérieur de donner du poids à ses requêtes et à l'intérieur de justifier son échec.

La suspicion était dans le cœur des femmes. Ultime pudeur, elles n'en parlaient pas et même si elles l'avaient pu, elles n'auraient pas arrangé les choses autrement, tant elles auraient craint de blesser l'orgueil du père, de le faire descendre du piédestal qu'elles lui avaient dressé. Quand il échouait, elles le consolaient et gémissaient sur le destin. On n'a pas de chance, répétaient-elles. Après l'avoir écartée les doigts tendus, les lèvres serrées, elles avaient accueilli la malchance et lui avaient fait un nid douillet. Dans le giron familial, tout revenait à elle. Babette la voyait qui s'engraissait comme un vieux chat puant sur son coussin de plumes. En fin de journée, chacun venait la nourrir qui d'un emploi refusé, qui d'une mauvaise note, qui d'un accident de mobylette, qui d'une douleur névralgique. Gavée, n'en pouvant plus, la malchance dégurgitait, on veillait à lui faire ravaler au moins la part du père.

Gloria savait tout cela, Babette avait eu le temps de le lui raconter avec son amertume violente, mais elle avait toujours fait valoir à Babette que l'exil avait été leur chance et que leur réussite sociale avait compensé le malheur d'une enfance ou d'une jeunesse « transportée ». Si on t'avait dit quand tu es arrivée à Bordeaux que tu serais trente ans plus tard la Directrice des relations internationales de Missing H. University, tu n'aurais pas signé des deux mains ?

Oh ! oui, elle aurait signé !

Gloria ajoutait un argument qui à travers sa réussite personnelle devait faire accepter à Babette l'indépendance de l'Algérie : Si Babette était restée là-bas dans son trou, quelle chance aurait-elle eue d'aller à l'université ? Jamais le père Cohen n'aurait consenti à ce que sa fille partît seule à Alger. Au mieux, parce qu'elle aurait été vissée dans un internat, elle aurait fait une Ecole normale d'institutrices et après... ? Se marier dans le cercle des connaissances familiales avec un Cohen bis, plus jeune que son père et déjà tout aussi tyrannique.

Babette reconnaissait que sur ce point Gloria avait raison. L'indépendance de l'Algérie avait bâillonné des hommes deux fois vaincus dans leur patrie et dans leur famille et entraîné par contrecoup l'indépendance de leurs filles, enfin de celles qui en avaient saisi l'opportunité. Il ne restait aux pères et aux frères que l'exercice de la lourde suspicion sexuelle qu'ils continuaient de faire peser sur l'élément féminin de la famille.

— Je sais ce que tu fais quand tu sors, lui avait assené son frère cadet, quelques mois avant leur départ pour la France.

— Qu'est-ce que je fais ? avait-elle rétorqué, surprise de trouver chez le jeune garçon tant de morgue, je vais au lycée, je travaille !

— Tu travailles, mon œil ! avait continué le frère avec un rictus salace.

En France, c'était autour de la petite sœur égarée et ravie par l'abondance et la beauté de la ville, toujours prise en défaut de n'être pas où elle disait être, toujours en retard, et qui effaçait dans le couloir le reste de son maquillage ou qui emportait dans le sac à provisions les escarpins de la mère, histoire en faisant les courses de se donner des airs de dame, que s'était organisée la chasse à la fille perdue. Putain ! Les frères lui criaient après, lui donnaient ces courtes gifles qui marquent, l'attrapaient par les cheveux, menaçaient de la jeter par la fenêtre. Babette savait comment les hommes frappent les femmes, d'abord, parce qu'ils sont plus grands, sur le dessus de la tête qu'elles rentrent dans le cou, et puis sur les côtes, dans le ventre qu'elles laissent sans protection pour couvrir leur visage : Je te casse le nez, comme ça tu pourras courir dans les rues.

La malchance faisait ses griffes et pétait de plaisir. Pendant de longs mois, ceux qui précédèrent sa mort, les frères mirent toute leur énergie à surveiller la petite. Au lieu de chercher un travail, ils la suivaient dans la rue, se rabattaient sur elle comme des chiens de chasse pour la surprendre. Affolée, elle les conduisait à son terrier, un Monoprix où elle achetait du rimmel, un cinéma où elle regardait un film d'amour au lieu d'être au lycée.

La myopie qu'affichait Babette et qui s'était singulièrement aggravée depuis qu'elle était rentrée à l'université, au point d'avoir donné des inquiétudes pour sa vue, l'écartait de l'intérêt immédiat de ses frères, persuadés qu'avec des lunettes elle était un remède contre l'amour. La hargne sexuelle à laquelle était soumise la petite sœur se transformait pour Babette en une hilarité méprisante pour les intellectuelles bigleuses.

Ne réponds pas, disait la mère qui passait son temps à protéger la faiblesse des hommes, à leur trouver des excuses, à cacher leurs insuffisances, à écouter leurs alibis et s'ils n'en trouvaient pas à réveiller la malchance. Ne réponds pas, tu es brave, tu es gentille, tu es forte, toi. Et puis aussitôt, la considérant : Mon Dieu, mon adorée, ne grandis pas trop. Comment on va te trouver un mari ? Voulant à toute force qu'elle conservât l'apparence de la fragilité : « Fragilité, ton nom est Femme. » Trop de diplômes, trop de titres, ma chérie, trop de seins, trop de hanches. Ne sors pas en taille, mets une combinaison, boutonne ton gilet.

Même si elle s'en sentait profondément différente, Babette adorait sa mère. Elle avait été la seule des enfants à porter sans rechigner l'humiliant et encombrant couscoussier. Elle venait d'un autre monde et d'une autre époque qui fredonnait les chansons de Tino Rossi et qui aimait danser. Bal où les femmes s'enlacent et se donnent plus de tendresse que les hommes ne leur en accorderont jamais. Plaisir de danser, peur des hommes. Promenade bras dessus, bras dessous et... regard importé il y a trois cents ans d'Espagne — entre les cils, au-dessus de l'éventail, léger, rapide — sur les hommes, entre la poitrine et la ceinture, sur l'estomac, dans la pointe du gilet, sur la chaîne de montre. Pas au-dessus de peur de provoquer, pas en dessous par pudeur. En revanche, chez soi, exiger que les enfants vous regardent dans les yeux. Ses yeux étaient sombres, brillants et fiévreux, une telle quête de vérité : Dis-le-moi dans les yeux. L'intensité. Cette présence donnée tout de suite, puis reprise aussitôt. Vivre les choses et les gens dans une perpétuelle vendetta. Être absolument toute l'une ou toute l'autre. Passer du rire aux larmes, de la caresse à l'invective. Aimer, détester.

Elle était devenue timide. Elle n'osait pas sortir. Elle regardait le monde à travers une vitre, le matin celle de la cuisine, le soir celle de la télé. Elle repassait les chemises des hommes et envoyait la petite sœur faire les courses à sa place. Elle ne savait pas choisir avec les yeux, elle n'osait pas demander et elle avait peur qu'on ne lui rendît pas la monnaie qu'elle recomptait seulement à la maison pour s'apercevoir, même si ce n'était pas le cas, qu'elle avait été volée. On m'a volée, disait-elle les larmes aux yeux et elle pleurait encore si en recomptant avec elle Babette retrouvait une pièce égarée. Quand la petite sœur eut disparu, puis quand la grand-mère mourut à son tour, elle avait dû prendre le bus toute seule. Elle l'attendait très longtemps à l'avance, un fichu sur la tête, noué sous le menton, le porte-monnaie serré dans la main, répétant le numéro de la porte, le numéro de l'allée, le numéro de la tombe qu'elle avait inscrits au stylo bille à l'intérieur du poignet.

— Je me rends compte à quel point je suis juive, dit Babette en regardant Gloria, pas française surtout, pas même pied-noir. Juive, vraiment juive.

— Alors tu comprends que moi je me sente africaine, dit Gloria, brusquement réconciliée.

Depuis que Gloria et Babette étaient montées dans la salle de bains, Lola Dhol restait prostrée sur son tabouret, le visage entre les mains comme si elle ne voulait pas voir le rat qui mourait dans la boîte. Ses mains étaient abîmées, ses avant-bras flétris, et Aurore prit conscience que cette femme un peu plus âgée qu'elle était déjà une vieille femme.

Depuis tante Mimi qui exagérait son grand âge par une coiffure à l'impératrice et un tour de cou en velours violet, personne autour d'Aurore ne s'était fait une gloire de vieillir et depuis que les femmes qu'elle côtoyait avaient pris l'habitude de faire passer la vieillesse à la décennie supérieure, personne ne vieillissait. La retraite, cette faute de goût, surprenait de brillants sexagénaires au milieu de leur vie dans la pleine possession de leurs moyens physiques et intellectuels. Personne ne se plaignait de vieillir. On parlait d'une baisse de régime, d'un manque d'énergie, d'un besoin de vacances, au pis d'une maladie chronique et l'on repoussait une presbytie toujours précoce par des exercices de gymnastique oculaire. Partout où son regard se posait, la vieillesse était exclue, bannie. En revanche elle trouvait, ceci étant peut-être fonction de son propre changement, que tout le monde autour d'elle rajeunissait et elle félicitait les gens de leur bonne mine !

Depuis que durait son amitié avec Leila, seule Bobinette accusait des années que les chiens paraît-il multiplient par quatre. Elle avait beaucoup grossi et traînait près de sa maîtresse un énorme ventre boudiné dans un manteau de laine rouge. Deux billes bleuâtres lui sortaient des orbites.

— C'est fou ce que j'y suis attachée, disait Leila en enlevant la crème qui l'empêchait d'atteindre son cappuccino. Maintenant, pour l'avoir au prix que je l'ai eue, il me faudrait faire au moins dix passes.

Aurore se demandait si elle faisait allusion à la valeur que les années avaient fait prendre à la chienne ou à sa propre dévaluation dans le métier.

— Je pars pour l'Amérique, avait annoncé Aurore, je vais à Middleway.

— J'ai vu un feuilleton qui se passait là-bas, dit Leila, *Les filles de Middleway*, ou quelque chose comme ça...

Leila passait sur sa chienne sa hantise de la vieillesse. Elle surveillait chez Bobinette l'empâtement des reins, le jaunissement des dents et surtout le blanchiment du museau, qui avait été très rapide. Leila avait teint le museau de sa chienne et les poils autour de la gueule étaient d'un roux si ardent que Bobinette semblait porter le feu à la gueule. Elle avait compensé l'effet local trop accentué par la teinture d'une touffe de poils entre les deux oreilles : Elle est belle, ma fille ! Et elle expliquait à Aurore que c'était la bâtardise de Bobinette qui en faisait cette créature unique, parce que si l'on peut toujours remplacer un chien de race par son clone, la combinaison qui avait donné Bobinette était impossible à retrouver.

Elle ménageait sa chienne comme si le vieillissement n'était en fin de compte que de l'usure. Il y avait belle lurette que pour protéger la colonne vertébrale de Bobinette, elle la portait dans les escaliers. Dès qu'il avait été question des antiradicaux libres, Bobinette y avait eu droit avant tout le monde. Ayant pour une fois l'occasion de lutter efficacement contre la dégénérescence naturelle des organes, elle lui faisait absorber toutes les vitamines du monde et puisque Aurore allait en Amérique, elle la chargeait de lui ramener un stock de mélatonine destiné à purger les cellules de sa chienne de l'atroce attaque du temps.

De son côté, Leila vieillissait sereinement, assumant la chute de ses seins, la saillie de son ventre et par contrecoup l'extrême affinement de ses chevilles. Écoute, tu n'as pas le choix : ou tu prends du bide avec des jambes maigres ou tu as des poteaux et tu te creuses de la poitrine. De toute façon, c'est toujours assez bon pour eux. Il n'était pas sûr qu'elle ne se réjouît pas intérieurement de cette dégradation de son corps comme d'une vengeance envers les hommes qui l'avaient tripotée, embrassée, fouaillée. Elle le leur ferait payer jusqu'au bout pour que, comme dans les cauchemars, ils se réveillent un cadavre entre leurs bras. On n'en était pas là, aussi les excitait-elle en leur confiant, le ventre protubérant, qu'elle avait dedans un fibrome de la taille d'un pamplemousse ! Seule la mort probable de Bobinette menaçait ce fragile équilibre.

— Je te jure que le jour où elle ne sera plus là, lui avait promis Aurore, je t'en offrirai une autre.

— Ce ne sera pas la même.

Leila refusait, les larmes aux yeux.

Lola se redressa, prit une grande bouffée d'air comme un plongeur qui revient à la surface, se leva et alla vers la fenêtre : Je ne me sens pas bien. Tout va mal ce matin, je ne suis pas dans mon assiette. Aurore lui proposa une tasse de café. Lola refusa, elle avait l'estomac noué par le rhum. Aurore l'entendait respirer. Elle cherchait son souffle de plus en plus profond et s'affolait de ne pas le trouver. Elle se tenait contre la fenêtre et Aurore voyait par transparence ses longues mains qui tâtaient la vitre. Elle cherchait à sortir.

— C'est toujours bloqué, dit Aurore.

— J'ai eu du travail quand je m'en moquais, disait Lola en regardant la fenêtre, j'ai tourné quand cela m'emmerdait de tourner et puis quand j'ai commencé à comprendre, quand j'ai commencé à aimer, quand j'ai su qu'interpréter un rôle ce n'était pas seulement se laisser éclairer le visage en lisant trois mots écrits gros sur une feuille blanche ou se déplacer entre deux traits de craie, quand j'ai eu envie de participer, de sortir de ma peau, d'être une autre, bref, de jouer : plus rien.

— ... Tu t'es rendu compte de ça — elle pianotait sur la vitre —, il n'y a plus de rôles pour les femmes au cinéma. Rien que des types et des pétards, des pin-up de bandes dessinées, des travelos... Ce que je voudrais jouer maintenant ! dit-elle en se tournant vers Aurore. Ce que j'aimerais un beau personnage ! Écris-moi un beau personnage.

Dans l'intimité de ses romans, Aurore lui avait volé son visage pour le donner à ses propres personnages. Dans deux histoires au moins Lola était devenue la mère, égoïste et belle, jeune et méchante de ses petites héroïnes. C'est dans la bouche de Lola qu'elle avait mis les mots : IL FAUT EN FINIR. CESSE DE TRÉPIGNER. ELLE EST PRESQUE MORTE. Et la veille, quand Lola avait lu la mort de la bête, Aurore regardait sa bouche comme si la bouche de sa mère devait y renaître. Entre les lèvres usées, les paroles sortaient pâles, décolorées, et la bouche tant aimée s'effaçait dans la lumière. Le visage de la mère n'avait pas reparu.

À contre-jour, le corps tendu, les mains crispées, Lola était très belle. Aurore pensait à une tenancière de bistrot qu'elle avait rencontrée dans un bled perdu dans un coude de l'Amazone. Elle aurait bien donné ce rôle à Lola tout de suite. Elle la lui décrivit comme une Ava Gardner des tropiques, avec une belle bouche défaite sous le rouge à lèvres, les paupières flétries sur un intense regard de Péruvienne... Elle était vieille, alcoolique et droguée, menteuse et faiseuse d'histoires, cabotine et méchante, mais elle faisait des ravages. Elle s'exhibait en short sur son balcon en écrasant des moustiques sur ses cuisses qui n'avaient jamais été belles. Les hommes passaient devant son estanco la tête raide et l'œil allumé. Elle était l'unique objet de désir à cinq cents kilomètres à la ronde... Elle le savait et...

— Pas une vieille, alcoolique et droguée, coupa Lola avec humeur, des conneries comme ça, on m'en propose tous les jours ! Non, un beau personnage...

Elle était comme ces petites filles qui choisissent de jouer la fée ou la princesse pour parader dans une belle robe. Elle était comme ces vedettes fragiles qui n'osent pas défaire leur personnage incertain et qui hésitent devant tout ce qui pourrait modifier leur image. Pour leur faire accepter un rôle, il fallait bourrer le synopsis d'adjectifs redondants, ajouter après chaque indication négative, un TRÈS BELLE, TRÈS ÉLÉGANTE, PLEINE DE CHARME, CLASSE ÉPOUSTOUFLANTE, BEAUTÉ SUPRÊME. Aurore aurait dû lui servir l'histoire de l'Ava Gardner péruvienne en changeant tous les adjectifs et alors Lola n'aurait entendu qu'un conte de désir et d'amour. Comment lui faire comprendre, comme au lecteur, lui aussi amateur de beauté, que laid ne signifie pas le laid et que beau ne traduit pas le beau, qu'il y avait des moyens détournés, des cheminements plus subtils pour les atteindre sans le dire ? Aurore restait avec l'histoire de l'Ava Gardner de Caballo-Cocha sur le cœur, mécontente soudain de l'avoir dévoilée et du même coup de s'être découverte.

Lola plaidait sa cause, elle affirmait qu'on était belle encore à cinquante ans et même plus. Ce « plus » était un coup de génie. Pour dire son âge, il avait fallu qu'elle procède par étapes. Elle n'arrivait pas à consentir à ce qu'Aurore voyait et à ce que le public savait. Ce n'est pas parce que je suis vieille que je suis comme ça, continuait Lola, mais parce que j'ai du chagrin. Les larmes rentrées enflent le visage. Toute cette eau salée autour des yeux, qui me pince le nez, qui coule dedans.

Si j'avais un peu de bonheur, une joie, une seule, si on me trouvait un beau rôle, tout cela s'assécherait, tu sais. Je me rappelle autrefois, quand je faisais la bringue, quand je buvais, que je me laissais aller, il suffisait de me serrer la vis quinze jours avant un tournage, un peu de diète, un peu d'exercice et — elle claquait des doigts — j'étais à nouveau belle comme un astre !

Aurore pensait à tous les rôles qu'elle avait joués, à la ronde infinie des femmes auxquelles elle avait prêté sa voix, aux destins qui s'étaient incarnés en elle, à son visage qui était désormais devenu celui de personnages historiques ou d'héroïnes de romans. Ses rôles ne l'avaient pas plus marquée que les images projetées sur la toile ne s'imprimaient sur l'écran blanc du cinéma. Même si elles grossissaient dans le cœur du spectateur, Lola ne se voulait pas plus comptable des émotions qu'elle avait provoquées que le grand écran vierge sur lequel avaient flotté ses images. Mais un à un les visages qui étaient nés de son visage, les visages auxquels elle avait prêté sa fossette, son grain de beauté, l'avaient dépouillée. Ne me vole pas mon visage, disaient à Aurore les femmes qu'elle avait voulu photographier en Afrique. Ne me vole pas mon âme ! Si bien qu'elle ne partait plus jamais en repérage avec un appareil. On avait volé le visage de Lola. Il reposait, inoubliable, au fond des cœurs, mais elle, elle l'avait perdu. Les grandes actrices se désincarnent toutes, et elles ne réapparaissent, comme Lola, que par la maladie dont on dit alors qu'elle les marque. La maladie était sur son visage, évidente et tragique, sans aucun artifice pour la dissimuler.

Et Aurore pensait aux écrivains qui ainsi que les acteurs ne doivent pas trop prêter à leurs personnages de peur d'en sortir amoindris. Elle songeait à l'immense fatigue d'écrire, à l'épuisement devant le livre enfin achevé. On ne peut pas faire naître tant et tant sans mourir, se disait-elle, et déjà elle savait qu'elle s'était éprise de l'Ava Gardner de l'Amazone, qu'elle allait au détour d'un roman comme dans la courbe du fleuve retrouver la putain de Caballo-Cocha. Le long tête-à-tête obsessionnel avait commencé. Lola avait raison, ce n'était pas un travail d'actrice mais d'écrivain. Mais dans sa tête Aurore avait déjà remplacé le mot travail par le mot rôle. Elle disait : C'est un rôle pour moi.

... Le cinéma n'aimait plus les femmes. Lola reprenait son antienne : — Je voudrais savoir où sont passées les filles de ma génération quand elles ne sont pas ambassadrices à l'Unicef ?

— Au théâtre, je crois, répondit Aurore.

— Ah ! le théâtre, toujours le théâtre, gémit Lola.

Au même âge, sa mère était beaucoup plus belle qu'elle. Elle s'était élevée et durcie. Elle avait perdu ses chairs et s'était idéalisée. Elle garderait la même apparence jusqu'à sa mort, maintenant. Aveugle, elle saurait au centimètre près la profondeur du plateau. Paralysée, elle saurait esquisser le geste qui mettrait tout en vie. Elle s'enfoncerait peu à peu dans la scène. Vague après vague, le rideau finirait par la recouvrir mais il resterait toujours son visage, sculpté comme un masque de pierre, et le trou de sa bouche d'où sortirait la voix du souffleur.

Quand elle avait repris Nora, sa mère lui avait seulement dit qu'elle avait tort d'en faire une victime. Lola essayait de retrouver les mots qui l'avaient brusquement éclairée sur le caractère de sa mère : « C'est une femme qui fait ce qu'elle veut dans un monde d'hommes, à l'insu des hommes. » Elle se demandait si ce conseil ne dépassait pas le cadre du simple jeu théâtral pour servir de philosophie à toute une existence, celle d'une femme épanouie et brillante contrainte à une vie d'ordre et de devoir par un mariage avec un homme rêveur et silencieux, beaucoup plus âgé qu'elle, qui n'avait jamais voulu connaître que le théâtre et qui avait organisé sa vie entre cour et jardin, face à ce public devant lequel il se prosternait chaque soir. Il avait tenu sa jeune femme comme un cheval de cirque au bout d'une longe, à faire invariablement son tour de piste empanachée de mots alors que, c'est sûr, elle aurait aimé s'évader du côté du cinéma.

Le cinéma, ce n'était pas sérieux. Ce devait l'être pour le metteur en scène, pour les producteurs, pour le directeur de la photographie, mais ce ne l'était pas pour les acteurs, en tout cas ce ne l'était pas pour Lola. Elle n'avait pas l'impression de faire un vrai métier, mais de retourner à l'enfance qu'elle n'avait pas eue quand on se raconte des histoires et que l'on se distribue des rôles.

Neuf fois sur dix rien ne se réalisait et le projet refroidissait lentement. Faute de l'enthousiasme nécessaire, il passait régulièrement l'arme à gauche. Quand elle tournait enfin, c'était la fête pendant dix jours puis elle s'ennuyait mortellement. Alors elle avait une liaison pour passer le temps. Chacun faisait sa crise mais tout rentrait dans l'ordre parce que les contrats le stipulaient et que l'argent que ces histoires coûtaient était finalement plus important que les sentiments, amour et trahison confondus. Elle partait avorter le week-end en Suisse et elle revenait la bouche sèche de fièvre, le ventre saignant, pour refaire une prise.

Elle tournait alors les films du Français. Elle ne l'aimait plus. Elle le trompait partout, tout le temps, y compris sur le tournage avec les acteurs, les perchistes, les électriciens. Elle le trompait sous ses yeux, dans sa tête, dans cette chambre noire au cœur de la caméra, elle le trompait jusqu'au fond de son œil qui ne voyait rien, du moins le croyait-elle, jusqu'à ce qu'il choisît pour l'affiche du film l'ombre du couple qu'elle faisait avec un amant de passage sur une toile blanche derrière laquelle ils s'étaient cachés. Sur des milliers de murs s'étalaient les ombres de leurs corps enlacés, déformés et géants. Après l'avoir clouée au pilori, il s'employa à la faire disparaître de tous les écrans.

En fin de compte Lola n'avait jamais été une comédienne. Elle avait incarné l'imaginaire esthétique du Français. C'est lui qui l'avait faite. Pour jouer, elle n'avait eu qu'à se mettre en face et à capter le reflet de ses rêves, attraper ses émotions. Dans *Bella,* le visage de Lola Dhol prenait la lumière, c'est-à-dire qu'il était le vide absolu, avait déclaré le Français dans ses Mémoires, jamais une tête où il se passe quelque chose ne capte la lumière, jamais un visage qui est quoi que ce soit ne reflète autre chose que lui-même.

Pour le vide, c'est à croire qu'elle était douée. Je lui criais : Ne fais rien, surtout ne fais rien, ne pense à rien, ne regarde rien. Juste ton trois-quarts pommette, c'est tout ! Son travail consistait à se rassembler dans une bulle et à se recueillir dans une goutte de rosée.

Elle avait tourné *La liseuse* en pensant qu'elle n'était qu'un bouchon de cristal. À chaque prise, le Français prenait un texte nouveau pour qu'en le découvrant elle ne le comprenne pas et que rien de ce qu'elle lisait ne pût marquer son expression. Si on voit que tu comprends on suivra ce que tu lis, mais autrement on regardera ton visage et dans ton visage tes paupières. Alors il y aura quelques spectateurs pour se rappeler très confusément la *Sainte Anne* de Raphaël et d'autres qui, ne connaissant pas Raphaël, atteindront au sentiment de la beauté pure comme ceux qui découvrirent Raphaël en pensant seulement voir sainte Anne ! Tu ne comprends pas, ça ne fait rien, sur l'écran j'ai besoin que l'on découvre Raphaël, que l'on éprouve la sensation d'une beauté absolue, pas que l'on écoute un écrivain lambda engoncé de mal dire !

Quand j'ai tourné avec des réalisateurs qui ne savaient pas ce qu'ils voulaient mais qui désiraient que je sois à la fois la liseuse et Bella pour être, eux, un peu le Français, quand j'ai commencé à faire les choses toute seule, cela a été la catastrophe. Je m'en fichais, dit-elle. Je m'envoyais en l'air, ma vie et ma carrière avec.

Un jour de soleil, d'été et de champagne, elle avait déclaré qu'elle n'aimait rien tant que rire. Plusieurs années plus tard, au fond de la déprime, elle avait lu, comme un écho noirci dans la presse : « Lola Dhol aime rigoler. » Elle ne comprenait pas ce mot. Elle voyait ses rides et les larmes qui affleuraient au bord de ses paupières et les larmes qui coulaient dans ses rides. Je rigole, se disait-elle, et je n'aime pas ça.

Aurore se rappelait les confessions de Martine Carol à la fin de sa carrière. Elle répondait avec une grande sincérité à des questions peu aimables et faisait preuve d'une bonne volonté touchante pour faire son mea culpa, dire qu'elle s'était trompée, qu'elle n'avait pas été une bonne actrice, qu'on l'avait mal conseillée, mais qu'elle allait repartir du bon pied. L'image, en noir et blanc, soulignait des traits épais, un maquillage marqué, des seins alourdis. La tristesse au fond de ses yeux charbonneux de fausse blonde disait à quel point elle se sentait finie. Il aurait fallu qu'une seconde elle se taise, il aurait fallu que la caméra fasse un gros plan de ces yeux-là qui démentaient tous les projets d'avenir pour qu'on la vît telle qu'elle allait finir dans une baignoire, avec de la mousse, du champagne et des barbituriques. Ah ! la détresse atroce dans les yeux de Marilyn au bord d'une piscine. Ce chagrin d enfant à tout jamais inconsolable dans le regard sombre, le visage posé sur sa main comme une colombe, son visage en partance. Un instantané ? non, un envol Les photos avaient paru après sa mort, révélant tout ce qu'elle ne pouvait plus cacher. Lola avait le même regard.

— Je ne l'ai pas dit devant les deux autres mais à l'heure qu'il est je ne sais pas où aller, personne ne m'attend, aucun projet. Je n'ai pas de mari, pas d'enfant, pas de travail, pas d'argent, pas de maison, et même pas de pays. Je suis la personne la plus seule au monde. Elle tambourinait contre la vitre : la plus seule au monde.

— Reste, lui dit Aurore, s'apercevant qu'elle la tutoyait, le temps de voir venir. Je vais peut-être rester aussi, ajouta-t-elle, si le zoo m'engage.

— Mais tu as quelqu'un ?

— Je ne sais pas si on peut appeler ça quelqu'un.

D'abord il ne lui avait pas plu. Carré derrière son bureau, il voulait lui signifier qu'elle le dérangeait et il lui infligea le long discours moralisateur qu'il assenait aux enfants des écoles avant qu'ils n'entrent dans le pavillon des singes. Il avait voulu une porte de caoutchouc sur laquelle étaient dessinées les silhouettes des gorilles, des orangs-outangs et des chimpanzés. Ainsi l'homme qui entrait inscrivait sa silhouette au milieu de celle des autres humanoïdes, un peu moins grand que le gorille, à peu près semblable à un orang-outang, et s'il s'agissait d'un enfant, juste dans le chimpanzé. Il y a entre eux et nous si peu de différence, dit le Conservateur du zoo. Et en la regardant bien en face pour la provoquer : Nous sommes de la même espèce.

Il avait fait supprimer les grilles. Les singes qui avaient des noms, une lignée et une histoire vivaient derrière des vitres, mais personne n'avait le droit de les toucher, en dehors de leurs éducateurs. Aurore pensait que la condition des singes avait bien évolué depuis son enfance, depuis qu'un matin sa mère lui avait apporté Délice dont la mère avait été capturée par les chasseurs puis tuée par les villageois. Une femme l'allaitait. Plus tard, Aurore avait vu aussi des porcelets au sein des femmes, maintenus en vie, engraissés puis dévorés. Elle était à des années-lumière du Conservateur du zoo, qui n'aurait pas trouvé choquant qu'une femme, une humaine, donnât le sein à un singe mais plutôt que la nécessité obligeât cette femme à manger ce qu'elle avait nourri. La mère d'Aurore avait sauvé Délice en l'achetant pour ce qu'elle était, un kilo de viande.

De toute façon, elle ne pourrait même pas les voir, c'était la journée papier-carton des chimpanzés et leur accès était réservé ce jour-là aux chercheurs. Il lui montrait sur la table les dossiers des singes et puis, à contrecœur, il téléphona pour savoir si pendant sa récréation Mabel serait visible : — C'est une petite fille que nous avons reçue du zoo d'Atlanta. Aurore dit qu'elle ne voulait pas déranger, elle avait cru qu'il lui serait possible de retrouver ici son enchantement d'enfant quand elle avait pris pour la première fois Délice dans ses bras. Le souvenir de Délice survivait à tous les autres. Il effaçait jusqu'à celui de sa mère. Il renaissait dans ce bureau avec une telle intensité qu'elle ne voulait ni voir Mabel ni aucun autre chimpanzé, pour protéger cette sensation perdue puis retrouvée du petit ventre gonflé sous les poils noirs, des mains si étroites et si longues, du petit masque comme un pétale de rose : Délice était ravissante.

Maintenant qu'il la sentait prête à s'enfuir, le Conservateur était pris de remords. Si Aurore restait quelques semaines de plus, il l'intégrerait en tant qu'écrivain dans le programme « Un langage pour les chimpanzés ». Elle partait le lendemain. — Vous avez des obligations ? lui demanda-t-il. — Non, répondit-elle. — Alors ? Il se leva, prit son chapeau. C'était un chapeau de toile beige avec une queue de léopard en guise de ruban. Comment prendre au sérieux un type qui a une queue de léopard autour de son chapeau et qui circule dans son zoo déguisé en Indiana Jones ? Je vais vous faire visiter, dit-il en lui tenant la porte.

— Gogo-del-sol, gosier-de-soleil, dit-elle devant une cage où s'agitaient des singes assez vulgaires pour être livrés sans indications à la contemplation des visiteurs. — Vous savez cela, vous ! lui dit-il avec un air admiratif. Oui, elle savait cela et aussi baba-de-moça, salive-de-demoiselle, des mots doux comme des bonbons, acidulés comme des fruits. Et ceux-là ? lui demanda-t-il devant des petits singes d'une trentaine de centimètres à peine avec deux touffes rousses de part et d'autre de la tête. — Des ouistitis-à-mains-dorées peut-être ? — Non, dit-il, des marmousets, il prononçait le nom à la française. Aurore ne savait pas que le mot s'appliquait à des singes, il lui semblait qu'il désignait anciennement des petits garçons, des marmots.

— Ce sont des hapalidés, précisa le Conservateur qui lui expliqua que c'était dans son zoo qu'avait été étudié leur système de reproduction. Un marmouset ne vient au monde que s'il a derrière lui trois générations de marmousettes, soit la petite maman, la jeune grand-mère et l'efficace arrière-grand-mère. Qu'une femelle manque à la chaîne et pas de marmouset. La jeune femelle ne peut pas faire face à sa maternité sans le secours de sa mère qui elle-même doit être surveillée par sa propre mère. Trois générations de femelles, rien de moins pour tenir en éveil le difficile projet de la reproduction. Trois générations en alerte pour que vienne à la vie une créature de cinq centimètres recouverte d'un duvet roussâtre.

À son avis, les femmes devraient en prendre de la graine. Il s'excusait de l'avoir si mal accueillie car, en plus du fait qu'elle lui avait été recommandée par le département des *feminine studies*, il en avait assez de voir venir de toute l'Amérique ces femmes en mal d'enfant qui sous prétexte de recherche voulaient tenir dans les bras un bébé gorille ou un bébé chimpanzé. Elles ne reculaient ni devant le costume stérilisé qu'on leur faisait enfiler ni devant l'attente d'une nuit entière de parturition. Il les mettait en rang devant la cage d'accouchement à noter minute par minute leurs observations. Quand la femelle lâchait enfin son paquet et nettoyait son petit, ces femmes, qui auraient eu des difficultés à envisager la naissance de leur propre enfant, sanglotaient d'émotion.

Pour les cas difficiles, il avait même organisé des séances de nursing où des humaines revêtues de leurs blouses stériles avec bottes, masque et chapeau marchaient à quatre pattes, le bébé singe sur le dos. Elles faisaient ce que les mères ne voulaient plus faire. Il appelait cela des séances de rééducation à la vie sauvage. Lorsque le bébé était plus grand, il leur demandait de s'accrocher à des anneaux, à des pneus, pour leur apprendre à sauter dans les arbres.

Comment tourne la terre ? se demandait Aurore. Les soldats ne font plus la guerre mais la paix, les flics n'emprisonnent plus, ils font de la prévention et ici les gardiens de zoo sont devenus des conservateurs. Elle se rappelait ses premiers repérages : tous, sur des captures ; vingt ans plus tard, on convoquait sa caméra pour relâcher les animaux. Maintenant, les zoos repeuplaient la forêt.

— Baba-de-moça, lui dit-il en la regardant avec tendresse.

Il lui avait pris le bras. Je vais vous montrer l'infirmerie. Ils montèrent dans sa Range Rover décapotée pour parvenir, tout au bout du zoo, dans des bâtiments isolés. Il ouvrit une porte et dès qu'ils entrèrent, il n'y eut qu'une seule plainte, suivie d'un cri d'espérance quand les malades reconnurent le Conservateur. Du sol au plafond, ce n'étaient que modulations amoureuses, cris de tendresse impatiente, exaspérations exquises. Le

Conservateur passait la main entre les grilles, caressait un ventre, une tête. Chaque animal l'appelait pour qu'il vienne le toucher.

Le zoo présentait deux aspects, la face diurne et extérieure où derrière des grillages les animaux se soustrayaient par l'indifférence au regard humain et la face nocturne et intérieure où les animaux parlaient. À l'ombre de l'infirmerie, ils disaient leur impatience qui n'était pas seulement la faim, l'envie de fuir ou le désir de s'accoupler, mais quelque chose de plus impérieux, de plus violent, un besoin d'amour sans quoi l'on meurt. Il a un don, se dit Aurore, un don absolu et magnifique, les animaux le savent. Elle assistait à une scène d'adoration. Les animaux criaient d'amour et elle se sentait mieux, figée dans ce qui était son désir pour cet homme et l'amour de ces bêtes.

— Vous avez déjà approché un rhinocéros ?

— Non, fit-elle de la tête et cela faisait dans sa vie un manque insupportable.

— Alors venez, dit-il, et ils reprirent la Range Rover, vers la grotte formidable où les grands ruminants se reposent.

Le zoo était plus grand qu'Aurore ne l'avait cru et le trajet plus long. En passant près d'un lac où des crocodiles et des tortues se chauffaient sur la berge parmi des aigrettes blanches d'Amazonie, il lui expliqua que lorsque sa mère était morte, il l'avait fait incinérer et qu'il avait jeté ses cendres ici. Il venait y prier quelquefois parce que le soleil s'y couchait, il lui montrait du doigt la direction de l'Arkansas, derrière une prairie où poussait l'herbe à bison.

Ils pénétrèrent dans un immense blockhaus par un passage dérobé. Aussitôt la porte refermée, ils furent plongés dans une odeur splendide d'urine : une fragrance forte et pleine, infiniment multipliée comme si le nez retrouvait par écho l'odeur fragmentée en parfums différents. En dominante elle reconnaissait le foin coupé par l'odeur soufrée des choux et des raves qui faisaient l'essentiel du repas mais les animaux transportaient sur leur peau, dans leur ventre, des odeurs plus lointaines, celles d'écorces exotiques, le parfum concentré des buissons, la sève des cactus, les sueurs d'épineux. Et Aurore respirait à petits coups l'odeur de semence au goût sucré de violette.

De profil, sur la paroi, le rhinocéros était un dessin formidable. Ne bougez plus, dit le Conservateur, il fit claquer sa langue. Ce fut comme si un tremblement de terre avait fait rouler jusqu'à elle le plus gros rocher de la falaise. L'ombre s'était décrochée des ténèbres pour se glisser à ses pieds. Près de lui, résignée à être dévorée comme les jeunes filles en robe blanche que dans les dédales du labyrinthe on offrait en sacrifice à un monstre cornu, elle n'était qu'un fagot de branches sèches, une brassée de feuilles vertes.

Quand sa main l'effleura, probablement près de l'épaule, elle comprit qu'elle ne parviendrait pas à le caresser. Elle n'arriverait jamais à emporter dans un seul geste sa forme, sa texture et sa chaleur. Sur le cuir sa main était aussi aveugle que si elle avait dû appréhender une montagne en prenant une pierre. En le touchant, elle l'avait fait disparaître.

Ses doigts allaient au hasard, sa main filait comme le

vent. Aurore reconnaissait ce grand paysage de savane lorsque la pluie tarde et que les fondrières se craquellent, lorsque les arbres n'ont plus que des croûtes et des épines, lorsque les pierres noires roulent sur le sable. Elle retrouvait les termitières rouges qui se dressent dans le ciel, elle repérait les jardins de broussailles, elle voyait le mufle des bœufs blancs qui lèchent le sel, et sa main qui brûlait serrait dans son poing fermé l'étoffe de la jupe de sa mère.

Le Conservateur lui retint le bras et poussa sa main vers la bouche du rhinocéros. Aurore sentit dans sa paume un mufle qui était déjà une trompe ; les larges lèvres douces, fermes et préhensiles la caressaient. Elle restait le souffle coupé, vivante et morte entre le corps de l'homme et la tête du rhinocéros qui fouaillait en soufflant dans sa main. Elle ne tenait plus sur ses jambes, elle se laissa glisser entre les bras du Conservateur. Il l'embrassa. Le rhinocéros disparut sur le mur de la caverne avec les aurochs et les mammouths.

Dehors, le soleil se couchait et le grand ciel du Kansas était rose comme dans la savane à l'heure apaisée où les grands animaux vont boire. Un éléphant barrit et l'enfance lui fut redonnée intacte. Arkansas. Elle répétait ce mot, aussi étrange et familier qu'un arc-en-ciel dans la nuit. Le zoo était fermé, ils marchaient entre les enclos déserts au milieu des longues herbes indiennes balayées par le vent. Est-ce que vous voulez rester ? lui demanda-t-il. Contre son corps, la bouche contre sa bouche, elle se sentait comme un animal déjà captif. L'idée de terminer son existence dans une grotte obscure où elle attendrait passionnément son retour en gémissant d'impatience lui semblait délectable. Toute sa vie, elle en avait cherché l'improbable occasion.

Babette entra. Elle était maquillée, coiffée, elle tenait son sac de voyage à la main. C'était une autre femme, décidée, dynamique, ayant un emploi du temps long comme ça devant elle et décidée à le faire respecter.

— Eh bien ! les filles, dit-elle en consultant sa montre, onze heures et quart, Horatio va arriver. Il faut que je vous dise au revoir. J'ai été contente de passer ces quelques jours avec vous. Elle regardait tour à tour Aurore et Lola avec un sourire qu'elle s'efforçait de rendre joyeux. Partir la requinquait. — Si vous passez un jour par Missing H. University, n'oubliez pas Babette Cohen... Il y a des au revoir dont on sait pertinemment que ce sont des adieux.

La reconquista était amorcée. Son fard à paupières verdissait ses yeux de la couleur indécise des huîtres, elle avait ramené quelques mèches sur le haut du crâne pour lui donner du gonflant alors que les cheveux se répandaient sur ses épaules. Elle fouillait à l'intérieur de son sac à main pour en retirer son poudrier et vérifier l'ajustement des couleurs, se passer un peu de blush.

— Comme tu es grande, dit Aurore avec l'angoisse retenue du Petit Chaperon rouge quand il découvre le loup dans le lit de la grand-mère.

— Oui, répondit Babette, recevant le compliment. Avec les talons je fais un mètre quatre-vingt-deux.

Ce devait être terrible d'avoir Babette Cohen comme professeur. Entendre dans les couloirs résonner ses lourds talons dont elle piochait le sol, subir la brutale poussée de la porte qui faisait virevolter ses cheveux roux et quand elle était à sa chaire affronter le face à face verdâtre de ses yeux perdus derrière ses larges lunettes dorées. Elle ne s'asseyait jamais, tout au plus s'appuyait-elle de la paume des mains sur toute la largeur de sa table. Elle disait le grand malheur des femmes dont l'histoire avait été faite par les hommes. Le succès des *feminine studies* où se ruaient les jeunes Américaines ne venait pas d'ailleurs. Au milieu de la liberté, du bonheur, il y a un chagrin d'être femme. Elles venaient se rappeler le chagrin, commémorer l'esclavage.

Babette pensait à sa mère, à sa petite sœur, comme aux dernières victimes données en sacrifice à un monde révolu. Elle voulait que les jeunes filles, toutes les jeunes filles et accessoirement les jeunes hommes de Missing H. sachent ce qu'il lui en avait coûté pour dire à cette chaire, dans une université d'Amérique, l'égalité des hommes et des femmes. Avant de partir pour les États-Unis, elle était allée consulter le planning familial. Elle était tombée sur un médecin qui prescrivait des diaphragmes et bien qu'elle ne fût pas majeure, il n'avait pas fait d'histoires pour lui en commander un en Suisse.

Mais il avait tenu à ce qu'elle assistât à des séances où des couples venaient témoigner de l'épanouissement de leur vie sexuelle depuis qu'ils utilisaient la contraception. Le mot était tabou et elle ne savait rien du sexe.

C'était une époque de résistance active où on parlait de contraception à la fin des dîners. Pour vous mettre en confiance, une jeune femme, encouragée par son jeune mari, allait à la salle de bains chercher son diaphragme. Il passait de main en main, il étonnait par sa taille. Le couple montrait en riant comment on le pinçait pour l'introduire. Dans le souvenir de Babette, c'était un objet assez sauteur surtout lorsqu'il était recouvert de spermicide, car il fallait en plus l'enduire de crème et lorsqu'il avait été lavé, il ne fallait pas oublier non plus de le talquer.

Les convives osaient des questions plus intimes sur les sensations de l'homme ou de la femme. Elles ouvraient sur tout un monde de plaisir que Babette n'avait jamais soupçonné en venant demander ce qui n'était jamais pour elle qu'une protection contre les hommes. Elle était allée chercher le sien, le médecin le lui présenta dans une boîte de velours bleu qui imitait l'écrin d'un bracelet et qui semblait incompatible avec les adjuvants de crème et de talc que son emploi réclamait. Il lui donna aussi deux gros tubes de crème D'AVANCE.

À la Tomato Fondation, elle posa l'écrin sur la tablette de son lavabo et attendit longtemps avant de faire l'amour. Elle eut peur malgré tout, le caoutchouc était peut-être devenu poreux et la crème avait sans doute passé la limite d'usage. Elle eut peur comme sa mère, comme sa grand-mère et comme toutes les femmes avant elle que l'on avait menacé de tuer si jamais elles perdaient leur virginité. C'était une peur atroce qu'elles se refilaient de génération en génération, une peur qu'elle avait héritée et qu'elle avait transportée avec le diaphragme, la crème et le talc jusqu'en Amérique. Recroquevillée sur son lit dans l'attente de ses règles, elle n'était qu'une fille perdue que ses frères allaient lapider.

Babette avait un besoin incommensurable de respectabilité. Ses reflets roux, son diamant, son vison, ses talons hauts, sa voiture décapotable, ses cartes de crédit et jusqu'à son jardin de vingt ans étaient pour elle des garanties de dignité. Toutes ces attributions honorifiques dont l'université est si généreuse quand elle ne les rémunère pas étaient des accès à la dignité. On la savait ambitieuse, on la disait impitoyable, ramenarde et cassante, mais elle ne faisait qu'exercer sa dignité et la revendiquait de peur qu'on ne l'oubliât. L'abandon de l'Aviateur la poussait dans l'indignité et ce n'est pas l'amour d'un homme qu'elle allait reconquérir, parée jusqu'à la garde, mais sa dignité auprès de laquelle l'amour comptait si peu.

— Je voulais aussi m'excuser, dit-elle. Je n'aime pas me déballer comme ça mais à qui peut-on parler si ce n'est à une autre femme, avec d'autres femmes, pour se dire, confidence pour confidence, que finalement, ce qui est si lourd à porter nous le partageons. Elle avait vidé son sac dans une cuisine du Kansas.

C'est lourd le sac d'une femme qui vieillit avant que l'oubli ne l'allège. Il est rempli du poids d'une vie qui, la plus heureuse soit-elle, compte son lot de déceptions.

gonflé du poids des autres vies qu'une femme porte en elle, celle de sa mère, celle d'une sœur, surtout si elle est morte, d'une amie...

— Et de toutes les autres femmes, dit Aurore par solidarité. Elle pensait à son Ava Gardner de Caballo-Cocha qui était un peu de Leila, un peu de Lola, beaucoup de Gloria mais fondamentalement elle-même.

— On ne m'a appris que ça : rentrer mon féminin, dit Babette, pour ne le faire ressortir qu'expurgé, propre à plaire, pas sale, pas répugnant, mais parfumé, désodorisé, discret et délicat. Même dans les colloques, il faut effacer le féminin, elles ne veulent plus en parler, leur corps les dérange.

... L'âge mûr, continuait Babette, c'est quand le féminin débandé s'étale, gonfle, prend du ventre, des hanches, des seins, c'est quand le féminin se révolte et déborde. Les femmes en ont honte comme au moment de la puberté quand leur chair pousse de partout. Elles ne grandissent plus, elles grossissent. Elles se plaignent de ne plus rentrer dans rien, elles s'étonnent d'avoir pu porter des vêtements si étroits, mais leurs corps étrécis par la mode retrouvent leur volume naturel.

Aurore cherchait le sens du mot mûr : à point, passé, blet. Mûr était un beau concept, la perfection, l'aboutissement. Je ne suis pas comme elles, je n'en suis pas encore là, se disait Aurore. Je veux être verte, dure, âcre, acide, je ne veux pas de cette maturation. Je veux être insoupçonnable, une fleur sèche, un bouton avorté. L'enfant en elle refusait de grandir et d'écouter ces histoires de femmes au gynécée.

Mets un jupon, boutonne ton gilet ! Au plus chaud de

l'été 62, sa mère veillait à ce que Babette ne montrât ni la naissance de ses seins ni ses épaules. Pas de robes à bretelles, ni quoi que ce soit qui marquât sa silhouette, comme un soutien-gorge noir sous un chemisier blanc, ni sa taille si mince qui la coupait en deux, ni l'élastique de sa culotte. Couvre-toi ! C'est la même société qui à six heures du soir donnait à la petite sœur un calmant pour qu'elle n'eût pas envie de sortir et le soir un somnifère pour qu'elle ne s'évadât pas.

Babette aimait vivre aux États-Unis, protégée par ce politiquement correct que les beaux esprits européens dénonçaient en se gaussant. Attentive à déposer plainte au moindre propos sexiste. Elle ne pouvait plus aller dans les pays où l'insulte ne porte que sur le sexe et ne se profère qu'au féminin, où pour échapper à l'injure, les femmes se voilent, marchent vite sans regarder et se réfugient tête basse dans une vieillesse sans sexe, où à leur tour excitées comme des mouches par le sang frais, elles suspectent leurs filles, dénoncent leurs petites-filles, battent leurs bonnes. Ici, à l'ombre des palmiers, sur des pelouses mécaniquement entretenues, les femmes et les vieillards triomphaient. Et c'est pour cela, entre autres, qu'elle se sentait américaine.

— À condition d'avoir des dollars, interrompit Gloria.

Elle portait sa robe des dimanches, celle qu'elle mettait pour aller déjeuner dans le quartier blanc, chez les parents du Machiniste. Il y aurait du jambon à l'ananas et Chrystal attendrait la tarte aux noix de pécan pour se lever de table et se coller devant la télé où l'œil dans le vide, les jambes repliées, elle mangerait son gâteau trop sucré, comme si toute la famille ne s'était pas réunie pour elle, pour écouter ses revendications. Il faudrait alors meubler la conversation, combler le vide. On se tournerait vers Gloria pour lui demander ce qu'elle faisait. Elle répondrait qu'elle était fatiguée, que l'université était de plus en plus difficile à tenir. Elle dirait, comme chaque année, qu'elle ne pourrait pas organiser un colloque de plus.

Pour sa belle-famille, Gloria n'était pas une femme qui travaillait. Elle était selon les jours une femme fatiguée, une femme épuisée, une femme surmenée, une femme malade. Elle annonçait des troubles rares qui effrayaient ces gens simples. À les décrire, elle s'emballait, son corps partait en quenouille. Le Machiniste n'avait pas attendu la fin de l'effrayant tableau pour rejoindre sa fille sur le canapé. Il voulait discuter avec elle mais ne faisait que manier la télécommande. Sur l'écran, c'était une succession d'images effarantes qui semblaient fasciner Chrystal. Gloria tenait ses beaux-parents en haleine devant l'étendue et la variété de ses troubles physiques.

— Pour ma ménopause, essayait la belle-mère, j'ai pris des racines de ginseng et je m'en suis trouvée très bien.

— Mais je n'ai pas ma ménopause, jetait Gloria dans une vigoureuse protestation. Elle se tuait à leur raconter qu'elle faisait à travers les États-Unis d'Amérique le travail de dix hommes, que les responsabilités se multipliaient, qu'on venait la trouver de toute la francophonie pour régler la question des littératures d'expression française, qu'elle avait ouvert une antenne de littérature africaine, qu'elle était à la pointe des *feminine studies* et sa belle-mère ramenait son éreintement à des troubles de la ménopause.

— On est bien mieux après, continuait la vieille dame, vous verrez, vous prendrez un peu de poids mais vous n'aurez plus de bouffées de chaleur. Toutes les nuits je trempais mon oreiller... Le beau-père approuvait de la tête. Cette peau blafarde qu'elle imaginait recouverte de goutelettes cireuses lui donnait la nausée. Et elle ne voulait pas imaginer la complicité asexuée de l'époux changeant les draps que sa femme avait mouillés.

Gloria n'aurait alors de recours que de repousser sa chaise, de laisser la tarte dans son assiette et de prétexter le roman qu'elle avait en chantier.

— Un roman, avec tout ce que vous faites ! s'exclamerait son beau-père.

— Eh ! oui, Papy, un roman, pour me distraire !

— Une histoire d'amour ? demanderait la belle-mère.

— Sûr, Mamy : vous avez mis dans le mille !

— Et vous avez un titre ?

— Il s'appellera *La mort-aux-rats.* Vous savez, Papy, ce produit dont les femmes se servent pour liquider leurs petits maris ! Pourquoi avait-elle dit ça ? Elle savait bien que son livre avait un titre, c'était même sa seule création.

Au milieu de ces visages pâles, la figure de Chrystal luirait, sombre : un morceau de bois précieux. La réponse à Babette sur la couleur de Chrystal était dans la bouche de Gloria une évidence : Oui, Babette, j'ose dire que Chrystal est noire.

Ma beauté, ma perle noire, mon petit bout d'Afrique, ma gazelle, ne sois pas mon ennemie ma chérie, toi ma fille de sang et ma sœur de couleur. Je t'ai tracé la route, je t'ai conquis un pays, donne-toi seulement la peine de régner, ma princesse. Se pencher sur elle, respirer près de l'oreille sa petite odeur d'enfance. Appuyer sa bouche sur sa joue, l'enfoncer très fort pour sentir l'os dur du maxillaire. Happer du bout des lèvres un peu de sa merveilleuse peau, la garder là contre sa bouche close, les yeux fermés pour la goûter encore et encore...

Elle se tournerait vers le Machiniste pour évoquer ses ennuis avec Babilou qui répandait des histoires affreuses sur son compte.

— Tu aurais dû le vider depuis longtemps ! dirait le Machiniste prenant comme toujours fait et cause pour elle.

— Qu'est-ce que vous avez tous avec Babilou, grincerait Chrystal. Elle le trouvait SO CUTE ! Et soudain tragique, c'est mon seul ami !

Alors seulement dans sa voiture, elle se rappellerait la joue que sa fille lui avait tendue distraitement. Le Machiniste ne l'aurait même pas raccompagnée. Ils auraient pu s'embrasser sur le pas de la porte ; dans ce baiser elle aurait vérifié qu'il l'aimait toujours.

Gloria se pencha sur la boîte pour voir si le rat vivait encore. Quand elle posa le doigt dessus, il eut un petit réflexe, mais si vague, si plat. Elle le piqua de la pointe de l'ongle et il ne réagit pas. Alors elle dévida un rouleau de papier. Sans se préoccuper des regards des trois autres femmes qui convergeaient sur elle, elle saisit le rat avec le papier. Quand elle l'eut bien en main, elle serra. Aurore voyait les jointures de ses doigts qui blanchissaient. Elle relâcha son étreinte, serra encore et Aurore entendit les os qui craquaient. Un peu de sanie brune perça l'épaisseur du papier. Splatch !

— Quelle TRADUCTION ! dit Babette à Gloria. Chapeau ! De la fiction à la réalité. Et s'adressant à Aurore : La fiction traduit la réalité et la réalité traduit la fiction. Puis interpellant Lola qui s'escrimait sur l'ouverture de la fenêtre : C'est mieux que le cinéma, non ?

— Vous m'emmerdez, dit Gloria. Il fallait bien que quelqu'un le fasse ! Je n'allais pas laisser Chrystal voir son rat claquer. Je n'allais pas lui demander, moi, de tuer sa bête. Il était mourant dans cette boîte, il l'était depuis ce matin. Chacune de vous aurait pu faire quelque chose, appeler le vétérinaire, le jeter dans le jardin, le mettre dans les chiottes. Chacune d'entre vous aurait dû faire ce que j'ai fait, dit-elle. Mais vous n'avez pas levé le petit doigt, vous avez continué à boire du café, à papoter avec une bête qui crevait près de vous. Il faut bien que quelqu'un fasse le sale boulot pour les autres. Il faut bien que vous ayez vos intouchables : vous avez déjà vos bouchers, vos femmes de ménage, vos équarrisseurs, vos vétérinaires et maintenant votre tueuse de rats !

— Tu aurais pu l'endormir avec un peu d'éther, interrompit Babette.

— Tu en as de l'éther, toi ? Alors pourquoi tu ne l'as pas utilisé ? Elle tenait toujours le rat enveloppé dans la poignée de papier où la tache s'élargissait. De l'autre main, elle fouillait dans des tiroirs, elle retirait un bout de ficelle dorée, un ruban de soie, un morceau de papier glacé. Tiens, dit-elle à l'adresse de Lola, j'ai retrouvé ta photo ! D'une main elle tenait le rat, de l'autre elle brandissait la photo de Lola. Elle la posa sur la table. Puis vida une boîte à chaussures.

Je ne veux pas, se disait Lola, qu'elle mette ma photo dans la boîte à chaussures avec le rat. Je ne veux pas qu'elle m'enterre !

Gloria s'installa devant la table, posa le corps du rat dans la boîte qu'elle recouvrit du papier brillant, elle l'attacha avec la ficelle dorée, noua le ruban en travers en ayant soin de faire un gros nœud dont elle fit rebondir les coques.

— C'est un paquet cadeau ? demanda Babette.

Gloria haussa les épaules : — C'est un cercueil, tout à l'heure je l'apporterai à Chrystal et nous ferons un vrai enterrement.

— Mets-y les fleurs qu'on nous a données pour nos boutonnières, dit Babette, Aurore va nous écrire une oraison funèbre : Aurora, Or aux rats, Horrora.

— Ça c'est du Leiris, dit Gloria.

— Gagné, fit Babette. Elle regarda sa montre : Onze heures et demie et Horatio n'est pas là !

— Il faut ouvrir, dit Aurore, Lola va tourner de l'œil.

Gloria manipula une télécommande et la maison poussa un gros soupir. Les fenêtres s'entrouvrirent, la porte tourna sur son axe puis les moustiquaires s'enroulèrent en grinçant. La climatisation s'arrêta. Dans le silence elles entendaient le Pasteur qui lisait l'apparition de l'ange de lumière : « Il avait l'aspect de l'éclair et sa robe était blanche comme neige. »

Penchée à la fenêtre, Lola regardait les fidèles qui avaient envahi la rue. C'était comme une troupe de figurants qui se disperse après la prise : Christ est ressuscité, disait la foule, et les gens s'embrassaient.

Babette paniquait. Horatio ne viendrait pas. Il avait décidé lui aussi de la quitter. Habillée de pied en cap, son gros sac de voyage à la main, elle était aussi désemparée devant la porte qu'il y a trente ans sur le port de Marseille en découvrant, couscoussier à la main, une France fantôme. Elle aurait dû lui répondre tout à l'heure au téléphone, ne pas lui imposer les sarcasmes de Gloria. Il était si délicat, si fragile au fond, il avait dû être terriblement humilié. S'il ne revenait pas, elle ne se le pardonnerait jamais. Elle comprit qu'il était désormais le seul homme qui comptait dans sa vie.

Aurore ouvrit la porte. L'air tiède la recouvrit et elle mesura à quel point elle avait eu froid à l'intérieur. Elle resta sur le seuil à regarder la foule qui se répandait et à sentir sa joie. Une petite fille en robe d'organdi jaune sautait à cloche-pied sur le bord de la pelouse. Elle chantait : Chrétienne est ressuscitée, Chrétienne est ressuscitée. Et Aurore regardait la petite fille comme un souvenir qui n'eût pas été un souvenir mais une impression de déjà vécu. Voulant la retenir, elle la perdait. Elle ne pouvait y accéder que par effraction : Petite fille jaune, disait sa mémoire, jaune comme un soleil, jaune comme un ostensoir d'or, jaune, absolument jaune.

Un coup de klaxon la réveilla et elle vit la Range Rover qui se garait le long du trottoir. Au volant, le Conservateur coiffé de son chapeau à la queue de léopard. Dans ses bras, collé contre sa poitrine, le petit chimpanzé.

— Mabel, lui cria-t-il en le montrant du doigt, je vous ai apporté Mabel.

Aurore courut vers lui mais dans un rêve, d'une course lente, ample et ralentie, presque un envol... Enfant, elle courait, un matin en Afrique, vers Délice. Soudain l'écran se déchira, elle vit le visage de sa mère.

Composition Euronumérique.
et impression Bussière Camedan Imprimeries
à Saint-Amand (Cher), le 16 décembre 1998.
Dépôt légal : décembre 1998.
1er dépôt légal : mars 1998.
Numéro d'imprimeur : 985909/4.
ISBN 2-07-075231-3./Imprimé en France.

90050